Avec un soupir, j'a... jusqu'à ce que ma t... sous le lit. J'ai tendu le bras le plus loin possible, mais sans réussir à toucher la chaussure. J'ai donc rampé encore un peu jusqu'à ce que seules mes jambes émergent du lit.

J'ai saisi la chaussure.

Je me suis tortillé pour sortir de dessous le lit, mais je me suis arrêté à mi-chemin au son de deux bruits qui m'ont donné la chair de poule. Un bruit de pas et un bruit de voix.

Les pas se rapprochaient, accompagnés par le bourdonnement de deux voix, celle d'un homme et celle d'une femme. Ils avançaient dans le couloir.

« Catastrophe ! »

Je connaissais ces voix !

Eleanor Corvit et Mitch Crouch étaient de retour.

Ne manquez pas le premier tome de la série :
Régénération

RÉGÉNÉRATION
LA QUÊTE

TOME 2

RÉGÉNÉRATION

Plus qu'humain. Au-delà de la science. Intolérable.

LA QUÊTE

LINDA JOY SINGLETON

Traduit de l'anglais par
Janine Renaud

Éditeur : François Doucet
Traduction : Janine Renaud
Révision linguistique : Féminin pluriel
Correction d'épreuves : Nancy Coulombe, Carine Paradis
Conception de la couverture : Paulo Salguiero
Photo de la couverture : © Thinkstock
Mise en pages : Matthieu Fortin
ISBN papier 978-2-89667-730-6
ISBN PDF numérique 978-2-89683-741-0
ISBN ePub 978-2-89683-742-7
Première impression : 2012
Dépôt légal : 2012
Bibliothèque et Archives nationales du Québec
Bibliothèque Nationale du Canada

Éditions AdA Inc.
1385, boul. Lionel-Boulet
Varennes, Québec, Canada, J3X 1P7
Téléphone : 450-929-0296
Télécopieur : 450-929-0220
www.ada-inc.com
info@ada-inc.com

Diffusion
Canada :   Éditions AdA Inc.
France :   D.G. Diffusion
                Z.I. des Bogues
                31750 Escalquens — France
                Téléphone : 05.61.00.09.99
Suisse :   Transat — 23.42.77.40
Belgique :   D.G. Diffusion — 05.61.00.09.99

Imprimé au Canada

Participation de la SODEC. SODEC

Nous reconnaissons l'aide financière du gouvernement du Canada par l'entremise du Fonds du livre
du Canada (FLC) pour nos activités d'édition.
Gouvernement du Québec — Programme de crédit d'impôt pour l'édition de livres — Gestion SODEC.

Je remercie tout spécialement mes amis du
Texas :
Melody DeLeon et ses filles,
Alicia, Lucia et Rachel.

CHAPITRE 1

— *Cours!* ai-je crié. *Renegade! Sors de la route!*

Mais le chiot labrador blond, posé sur son derrière à un kilomètre et demi de moi, ne pouvait pas m'entendre.

Et lorsque j'ai tourné les yeux dans l'autre direction, ce que, grâce à ma vue exceptionnelle, j'ai vu à un autre kilomètre et demi de là m'a révulsé l'estomac de terreur.

La voiture gris clair continuait d'avancer.

Vite.

Fourrant mes lunettes aux verres épais dans l'une des poches de ma veste de chasseur et mon magnétophone dans l'autre, je me suis élancé vers la route distante. Je ne l'atteindrais pas à temps.

Impossible.

Sans les verres qui me rendaient le sol stable et les obstacles visibles, mes yeux se sont mis à larmoyer. Souffrant du vertige habituel, je les ai essuyés tout en m'efforçant de faire le point. J'avais presque atteint l'extrémité du pâturage où un boisé touffu bordait le ranch. Mes frères et moi avions autrefois érigé un fort, que nous avions surnommé le « Fief des gars », dans ce boisé, donc je le connaissais comme le fond de ma poche. Mais si mes jambes ne m'y portaient pas assez rapidement, ce savoir ne me servirait à rien.

J'avais l'impression d'être englouti par les hautes branches dégarnies et la verdure envahissante qui brouillaient ma vision et m'empêchaient de distinguer la lumière et l'ombre, ce qui était proche et ce qui était loin. Je voyais parfaitement avec mes lunettes, mais sans elles, les objets éloignés se rapprochaient, et les objets proches se déformaient.

J'étais venu dans ce pâturage à l'orée du bois dans le but de tester ma vision hors du commun. J'avais enregistré sur mon magnétophone des mesures stupéfiantes, ébahi de voir des mille-pattes minuscules sur une souche très éloignée. J'avais poussé mon regard encore plus loin, remontant la route noircie par le bitume sur une distance de un kilomètre et demi, jusqu'à l'endroit où le chiot de six mois se prélassait sous le soleil du midi.

C'est alors que j'avais aperçu la voiture qui arrivait à vive allure.

— Renegade! ai-je crié de nouveau, avant de foncer contre un buisson, de tomber par terre et de me relever une fois de plus.

Empoté. C'est ainsi qu'ils m'appelaient, les gosses qui me barbaient à l'école, y compris mes frères, Larry Joe et Marcos, quand nous y allions. Ils avaient raison.

J'avais pris l'habitude de me moquer de ma maladresse. Il m'arrivait parfois de me coiffer d'une perruque grotesque et d'enduire ma peau sombre de couleurs vives, puis de m'amuser à tordre des ballons pour en faire des animaux étranges ou des chapeaux biscornus. Être le clown de la famille me donnait le sentiment d'être spécial — comme si j'avais accompli une bonne action. Jusqu'au jour où j'avais découvert la raison de mon étrangeté. Allison, Varina et Chase avaient fait la route depuis la Californie pour me révéler l'effarante vérité.

J'étais un clone.

Un C-L-O-N-E. Pas un bébé abandonné, mais une expérience laissée pour compte. J'avais été créé sur un yacht, dans un laboratoire flottant conçu à des fins d'études et d'expériences. Eric Prince : un prototype génétique.

Le sol s'est creusé et je suis tombé lourdement, cette fois dans le lit desséché d'un ruisseau, et je me suis blessé au genou à l'endroit où le tissu s'était déchiré. Mais ce n'était rien comparativement à ce qui se produirait si je n'atteignais pas la route avant que le bolide ait négocié le dernier virage.

Zoomant au-delà des arbres denses, perçant du regard les branches et les ronces jusqu'à la route de campagne apparemment paisible à quelque neuf cents mètres de là, j'ai senti les battements de mon cœur s'accélérer.

Renegade faisait une cible de choix. Enroulé sur lui-même au milieu de la route, il se mordillait les puces tout en profitant d'un rare rayon de soleil. Le chiot a paresseusement soulevé sa tête blonde, a jeté un coup d'œil autour, puis il est retourné à ses puces.

Et la voiture continuait de filer à vive allure ; ses roues tournoyaient, brûlaient la chaussée, fonçaient en rugissant vers Renegade.

« Grouille ! » me suis-je ordonné.

J'aurais voulu que mes jambes maigrichonnes puissent faire des pas de géant, et je priais le ciel de ne plus tomber. J'avais gagné du terrain, mais j'étais encore trop loin pour mettre en garde le chiot désobéissant. J'avais beau l'appeler encore et encore, je savais bien qu'il ne pouvait pas m'entendre. Le chien était une cible sans défense posée sur le chemin de la mort, et j'étais son unique espoir.

Qui voudrait être un clone, hein ? D'accord, je voyais au loin, mais cette vision extraordinaire était tant une malédiction qu'une bénédiction. Et je maudissais cette bénédiction, qui me permettait de voir le danger tout en rendant le simple acte de courir si difficile.

Frustré, j'ai sorti mes lunettes. Quand je les ai chaussées, mon environnement immédiat est devenu plus net, mais j'ai cessé de voir au loin. On aurait dit que la route, la voiture et Renegade avaient disparu.

Par contre, un bruit horrible s'est rapproché : le rugissement d'un moteur tournant à une vitesse nettement supérieure à celle permise sur une route de campagne. La voiture n'appartenait ni à un voisin ni à un ami. Des étrangers, avais-je conclu plus tôt en voyant l'autocollant de location sur la plaque.

Je me suis rendu compte sous l'effet du choc que j'avais réussi à voir une plaque d'immatriculation à une distance de quelque trois kilomètres ! J'ai forcé l'allure — contournant les arbres, bondissant sur le sol inégal, piquant à travers les buissons épineux, les pieds martelant le sol, le cœur battant la chamade, le front suant sang et eau, les poings serrés. Je courais comme si ma vie en dépendait — parce que celle de Renegade en dépendait.

Encore quelques pas, et le boisé céderait la place à une petite route rarement empruntée. Le rugissement du moteur se rapprochait… mais la voiture demeurait invisible à travers les arbres. Mon ouïe s'est aiguisée et j'ai entendu les pneus crisser en tournant sur les chapeaux de roues : le dernier virage.

Les freins ont gémi comme pour lancer un cri d'avertissement ; un coup de klaxon aigu, une odeur âcre de caoutchouc brûlé, un aboiement effrayé… et le silence.

Mes maudits yeux ruisselants de larmes, j'ai continué de courir… jusqu'à ce que j'aie eu atteint enfin la route.

CHAPITRE 2

Renegade gisait dans le fossé.

Inerte.

Aussi immobile qu'un mort.

— Oh non! ai-je sangloté, me reprochant de voir exceptionnellement bien au lieu de courir exceptionnellement vite.

À quoi bon être un clone si je ne pouvais pas secourir les gens? Dans les jeux sur ordinateur, tout nouveau pouvoir me permettait de surmonter des obstacles inouïs. Mais en dépit de ma vue exceptionnelle, je demeurais un empoté.

La voiture avait poursuivi sa route, le grondement de son moteur se perdait au loin. Je me suis penché sur le chien. J'ai tendu la main et, après une hésitation, j'ai caressé les poils blonds et soyeux. Ils étaient encore chauds. Le chien était si paisible, si doux, il semblait dormir. Curieusement, je n'ai pas décelé de blessures : pas de sang, pas d'os brisés, pas de traces de pneus huileuses.

Soudain, Renegade a sorti sa grande langue rouge et m'a posé un baiser baveux sur la main.

— Renegade !

Stupéfait, j'ai sursauté.

— Tu n'es pas blessé !

Le chien m'a répondu d'un jappement et a agité la queue avant de bondir sur ses pattes.

— Waouh ! Incroyable ! La voiture ne t'a pas touché, mon coquin.

Je l'ai entouré de mes bras et l'ai pressé contre moi.

— Je suppose que tu as bondi hors de la route et que c'est uniquement le déplacement de l'air qui t'a choqué.

Renegade m'a donné un autre baiser mouillé en agitant la queue joyeusement. J'étais si soulagé que je ne me résignais pas à relâcher mon étreinte.

Attendez un peu que je relate à mes parents la conduite irresponsable de ce chauffard ! Heureusement, j'avais vu le numéro de la plaque. Pour ne pas l'oublier, j'ai sorti de ma poche mon petit magnétophone. J'ai enregistré le numéro de la plaque grise, en précisant qu'il s'agissait d'une voiture de location.

— Je me doutais bien qu'ils n'étaient pas d'ici, ai-je grommelé, submergé par une vague de colère à l'idée que l'on puisse envoyer valser un chien dans le fossé sans prendre la peine de s'arrêter pour vérifier s'il était blessé.

Je me suis demandé qui conduisait la voiture. J'avais cru apercevoir un homme au volant avec une femme à ses côtés. Où se rendaient-ils ? Il y avait très peu de ranchs sur cette route de campagne : le nôtre, celui des Hee et celui des DeLeon. À ma connaissance, personne n'attendait de visiteurs.

— Viens, Renegade. Retournons à la maison, ai-je dit en prenant soin de regarder de chaque côté de la route avant de la traverser, le chien gambadant à mes côtés.

Je marchais d'un pas rapide et assuré, car, avec mes lunettes, je distinguais nettement le feuillage et les crevasses dans le sol. Toutefois, j'éprouvais toujours le désir de les retirer et de poursuivre mes expériences. Mon étrange vision, que j'avais toujours considérée comme un handicap, était hors du commun, le genre de pouvoir dont parlaient les bandes dessinées, mais que je n'aurais jamais cru posséder.

Mes parents et les autres clones m'avaient fortement recommandé de garder le secret, mais je mourrais d'envie d'en parler à Marcos et à Larry Joe. Ils en resteraient baba. Ils ne me traiteraient plus de binoclard.

Avec un sourire, je me suis imaginé en train de leur faire la démonstration de ma super vision. Marcos était mon cadet, mais lorsque lui et Larry Joe étaient ensemble, j'avais l'impression que c'était *moi*, le « petit » frère. Larry Joe croyait tout savoir et être capable de tout accomplir uniquement parce qu'il était plus vieux et très musclé à force de pousser sur son fauteuil roulant. Je n'avais pas besoin d'un fauteuil roulant, mais j'estimais équitable d'en utiliser un lorsque je jouais au basket avec mes frères. Comme je ne le manœuvrais ni ne le faisais pivoter aussi bien qu'eux, ils me rentraient toujours dedans. Mais je m'amusais bien et j'étais habitué de perdre.

J'ai ralenti en atteignant la clôture délimitant le pâturage. Je me suis arrêté le temps d'ouvrir la barrière conçue pour le bétail, puis je me suis glissé à l'intérieur. Je pouvais voir, au loin, le toit rouge de notre grange et, derrière le toit, notre ranch vert et blanc plein de coins et de recoins.

J'ai accéléré le pas jusqu'à me mettre à courir vers la maison. Renegade, croyant qu'il s'agissait d'un jeu, a jappé de bonheur.

— D'accord, le chien! ai-je lancé avec un enthousiasme exagéré. On fait la course!

Le chien a jappé de nouveau, en reniflant l'air et en bondissant, excité à l'idée de rentrer à la maison. Je partageais son sentiment. La maison était un lieu sûr. Un endroit où on pouvait s'appuyer sur sa famille.

Et j'avais une GRANDE famille. Nous étions dix enfants. Six garçons et quatre filles, tous adoptés, entre deux et dix-sept ans, chacun doté d'un bagage différent et devant relever des défis différents. C'était très marrant lorsqu'un nouveau arrivait à l'école et faisait la connaissance de l'un de nous, puis d'un deuxième et d'un troisième, et ainsi de suite…

Varina, Chase et Allison avaient été ébahis par ma grande famille. Ils étaient tous des enfants uniques et ne saisissaient pas vraiment les liens unissant les membres d'une grande famille. Ils avaient cru que j'allais quitter mon foyer pour les accompagner en Californie en raison de ce que nous avions en commun. Bien entendu, mes parents s'y étaient opposés. Chez les Prince, on se serrait les coudes, pour le meilleur et pour le pire. Et cela faisait notre bonheur.

Renegade, qui gambadait toujours allègrement à mes côtés, a dressé les oreilles en entendant le bruit d'une balle qu'on faisait rebondir en tentant de la lancer dans le panier près de l'entrée principale. Le chien a quémandé du regard la permission de foncer. J'ai hoché la tête et il a poussé un jappement avant de disparaître derrière le coin.

Quelques secondes plus tard, je l'ai entendu japper de nouveau. Mais cette fois, d'un jappement sourd et circonspect.

J'ai accéléré le pas, traversé le jardin et contourné les poubelles pour finalement me ruer sous le haut portail.

Lorsque j'ai enfin atteint la cour avant, je me suis arrêté, estomaqué. N'en croyant pas mes yeux, j'ai vu une voiture dans l'entrée.

Une berline grise immatriculée à Dallas.

Le chauffard.

Chez MOI.

CHAPITRE 3

Il n'y avait personne dans la voiture, mais je n'arrivais pas à en détacher les yeux. Qu'est-ce qu'elle faisait là ?

— Hé, l'empoté !

Quelqu'un m'interpellait depuis le terrain de basket.

— Eric, où as-tu passé la matinée ?

J'ai tourné les yeux vers Larry Joe, sombre de cheveux et large d'épaules, qui d'une main faisait tourner le ballon sur le bout de son doigt et, de l'autre, manœuvrait habilement son fauteuil roulant.

— À qui appartient cette voiture ? ai-je demandé d'une voix tendue.

— J'sais pas, a répondu Larry Joe en haussant les épaules. T'as envie de faire quelques paniers?

— Non. J'ai envie d'en savoir plus sur cette voiture.

— Je n'ai rien vu. Demande à maman, elle est à l'intérieur. Sans doute une de ses amies du club de courtepointe.

— Ça m'étonnerait. Aucune des amies de maman n'irait louer une voiture à Dallas. Tu es certain de n'avoir rien vu?

— Pas lui, mais moi oui, a lancé une voix aiguë.

Me retournant, j'ai aperçu ma sœur Kristyn. D'ordinaire, je m'arrange pour disparaître avant qu'elle puisse m'embêter. C'était bien ma chance, l'Emmerdeuse avait des réponses à mes questions. Kristyn avait quinze ans, comme moi, elle me suivait partout et copiait TOUS mes gestes. Le mois précédent, elle s'était fait graver sur la cheville un tatouage semblable à celui que j'avais depuis ma naissance. Si j'avais fait un truc pareil, j'aurais été privé de sortie à vie. Mais Kristyn n'en avait été privée que pendant une semaine. Mon père et ma mère se montraient toujours indulgents à son endroit, peut-être parce que Kristyn avait souffert de leucémie, qu'elle n'était en rémission que depuis un an et qu'ils craignaient qu'elle retombe malade.

— C'était une vieille femme et un jeune homme, a dit Kristyn, ses yeux en amande brillant de fierté. Ils discutent avec maman et papa à l'intérieur. Et tu ne devineras jamais : ils sont de New York !

— Tu inventes tout ça, l'ai-je accusée.

— New York ?

Même Larry Joe a semblé étonné.

— Sans blague ?

— C'est vrai, a insisté Kristyn. J'étais en train de vider le lave-vaisselle quand ils sont entrés et je les ai entendus déclarer qu'ils travaillaient pour la télé.

— Waouh ! s'est exclamé Larry Joe. J'ai toujours rêvé de passer à la télé. Ils pourraient peut-être me faire rencontrer des basketteurs connus. Ce serait *cool*, hein, Eric ?

J'ai hoché la tête, tout en éprouvant un certain malaise.

— C'est terriblement excitant.

Kristyn dansait littéralement dans l'entrée.

— Presque aussi excitant que le fait de figurer dans le défilé de Noël ce soir. Hé, c'est peut-être la raison pour laquelle ils sont ici ! Pour ME filmer ! Je retourne à l'intérieur pour tenter d'en savoir plus.

— Il serait préférable que j'en sache plus moi aussi, ai-je murmuré.

Nous nous sommes tous trois dirigés vers la rampe d'accès conduisant au porche avant, puis sommes entrés. Tandis que Kristyn et Larry Joe échangeaient des plaisanteries sur la fortune, la gloire et les célébrités, j'avançais d'un pas aussi solennel que si je m'étais rendu au bureau du directeur. La publicité est un truc dangereux.

J'ai senti un frôlement sur ma jambe et, en baissant les yeux, j'ai vu que Renegade m'avait suivi. Il a agité la queue et s'est élancé vers la salle de séjour. J'ai entendu un homme éclater de rire et crier « Quel beau chien ! »

Pouvait-il s'agir de l'homme qui, au volant de la voiture grise, avait failli tuer Renegade peu de temps auparavant ?

— Allons faire la connaissance de nos visiteurs, a dit Kristyn en me tirant par la main.

— Pas moi, ai-je répondu en m'écartant. Je vais attendre dans la cuisine.

— Je viens avec toi, a annoncé Larry Joe à Kristyn. Je me demande s'ils connaissent des basketteurs.

— Ou des mannequins, a ajouté Kristyn en dressant la tête et en faisant gonfler sa longue chevelure noire et lustrée.

Elle avait du sang asiatique et le teint doré, et les gens affirmaient qu'elle aurait pu être mannequin. Elle était assez maigre pour cela et, assez grande aussi — plus grande que moi de presque huit centimètres, ce qui était plutôt embarrassant.

Une fois Kristyn et Larry Joe partis, je me suis furtivement approché de la salle de séjour et, appuyé au mur, j'ai jeté un coup d'œil à l'intérieur.

Kristyn gloussait tout en serrant la main d'une femme aux cheveux gris, rondelette et bien vêtue. Larry Joe, tout sourire, saluait un type dans la vingtaine avec une moustache tirant sur le roux. Et mes parents, assis côte à côte sur le divan, souriaient et se penchaient en avant pour exprimer leur intérêt.

— Quels beaux enfants! s'est extasiée la femme. Je suis ravie de faire votre connaissance. Je m'appelle Eleanor Corvit et voici mon photographe, Mitch Crouch.

— Vous arrive-t-il de photographier des basketteurs célèbres, M. Crouch? s'est aussitôt enquis Larry Joe.

— Bien sûr, fiston.

Il s'est mollement caressé la moustache.

— Tu aimes jouer au basket?

— Et comment, a répondu Larry Joe avec un sourire grand comme la salle de séjour. Venez dehors, je vais vous montrer.

Mon père a secoué la tête.

— Pas maintenant. Il nous reste encore des trucs à régler.

« Des trucs ? »

Je me suis penché davantage.

« Quel type de TRUCS au juste ? »

J'éprouvais un sentiment de curiosité mêlé de colère. Comment ces étrangers pouvaient-ils être tranquillement assis dans notre salle de séjour après avoir presque tué Renegade ? Non pas que Renegade leur en gardait rancune. Il était vautré à leurs pieds, frétillant de la queue pour leur manifester sa joie de les accueillir. Je me suis demandé comment mes parents réagiraient si je leur apprenais que nos visiteurs avaient failli tuer Renegade.

Mais je suis resté où j'étais et j'ai tenu ma langue.

J'ai examiné Eleanor Corvit, qui me rappelait ma grand-mère, mis à part ses élégantes chaussures et ses vêtements griffés. Elle avait de la classe, affichait un air rassurant, ne semblait pas être du genre à percuter un chien sans défense pour s'enfuir ensuite. Mais c'était Mitch qui conduisait, et ses doigts raclaient le fauteuil d'une manière intense, impatiente.

— Comme nous vous l'avons expliqué, nous vous avons choisis dans le cadre d'une émission portant sur les familles exceptionnelles, disait Eleanor Corvit à mes parents.

— Pas pour le défilé de ce soir? a dit Kristyn en fronçant les sourcils.

— Un défilé nocturne? a interrogé Mitch. Ne fera-t-il pas trop sombre?

— C'est un défilé illuminé, le plus important de tout le comté, a fièrement répondu ma mère. Il y aura plus de cent chars allégoriques, des fanfares et des groupes à pied.

— Et je vais être sur l'un des chars, a ajouté fièrement Kristyn. Je vais jouer un ange avec de grandes ailes scintillantes.

— Formidable! s'est écriée Eleanor. Il faut que nous voyions cela. Mais pour l'instant, nous aimerions nous entretenir avec votre charmante famille.

— Pour la télé? a demandé mon père qui, en voyant Eleanor hocher la tête, a froncé les sourcils et secoué la tête. Je ne sais pas trop. Nous ne sommes pas du genre télé.

— Tentons le coup, chéri. Cela pourrait être amusant, a dit ma mère en adressant un clin d'œil à Larry Joe et à Kristyn. Je suis certaine que les enfants adoreraient cela.

Pas moi, ai-je songé en fronçant les sourcils. Et j'étais convaincu qu'Allison, Varina et Chase partageraient mon avis. Ils m'avaient mis en garde contre les méchantes personnes qui, mises au courant de l'expérience de clonage, voudraient nous étudier — si ce n'est pire. Il me fallait donc demeurer aux aguets, protéger mes secrets et me fondre dans le décor. Passer à la télé était une MAUVAISE idée.

Mais ma mère affichait un visage aussi lumineux que le défilé de Noël.

— J'aimerais bien participer à cette émission, a-t-elle dit. Mais la décision appartient aux enfants.

— Je vote POUR ! s'est écriée Kristyn.

— Moi aussi ! a renchéri Larry Joe.

— Baissez un peu le ton que nous entendions la suite.

Mon père s'est tourné vers les inconnus.

— Quel est le nom de votre émission déjà ?

— *De vraies familles*. C'est une émission TRÈS populaire diffusée par une chaîne câblée, a précisé Eleanor en tapotant ses boucles grises. Nous y présentons des familles ordinaires qui ont des vies extraordinaires. En y participant, vous encouragerez les gens à adopter des enfants ayant des besoins particuliers. Vous avez adopté tous vos enfants ?

— Oh oui ! a répondu ma mère. Nous avons toujours rêvé de fonder une grande famille. Nous avons la chance d'avoir des enfants formidables.

— Comme moi, a lancé Larry Joe d'une voix stridente.

Ce n'était pas la modestie qui l'étouffait.

Mon père a eu un petit rire.

— Vous êtes tous formidables. Mais filez maintenant, toi et Kristyn, afin que nous discutions dans le calme.

— Mais je suis tranquille, a dit Kristyn en faisant la moue. Je peux rester ?

— Krissy, tu n'es JAMAIS tranquille.

Ma mère a lissé de la main les cheveux soyeux de Kristyn.

— En outre, tu n'as pas fini de vider le lave-vaisselle et tu dois te préparer pour ce soir.

Je n'ai pu retenir un sourire. Pour une fois, la moue boudeuse de Kristyn n'avait pas eu l'effet escompté. Bien fait pour l'Emmerdeuse.

— Je préférerais que les enfants restent, a objecté Eleanor. En fait, j'aimerais réaliser quelques interviews dès aujourd'hui.

Mon père a croisé les bras.

— Si les enfants acceptent.

— Bien entendu. Mais je suis convaincue qu'ils le voudront, a dit Eleanor d'une voix aussi sirupeuse que du sucre sur des biscuits chauds. Je vais d'abord m'entretenir avec l'aîné.

— Ouiiii ! C'est moi, l'aîné, s'est écrié Larry Joe.

— Et moi, la troisième, a précisé Kristyn.

— Formidable !

Eleanor a lissé un pli de sa longue jupe à motifs cachemire.

— Je suis impatiente de faire la connaissance de chacun d'entre vous. Mais j'entends procéder de manière équitable, ordonnée, en commençant aujourd'hui par trois entretiens.

— Cela me convient, a dit ma mère avec un hochement de tête.

Mon père s'est contenté de grogner ; de toute évidence, il n'était pas convaincu, mais il ne souhaitait pas contrarier ma mère.

Eleanor a jeté un coup d'œil autour.

— Votre deuxième enfant est-il à la maison ?

— Oui, Eric est ici.

Avec un rire moqueur, Larry Joe a lancé un regard vers la porte derrière laquelle j'étais tapi.

— Formidable, a dit Eleanor. Je vais d'abord m'entretenir avec toi, Larry Joe, ensuite avec Eric.

CHAPITRE 4

« Faut que je fiche le camp ! » ai-je songé.

J'ai bondi sur mes pieds, suis passé en trombe devant la cuisine, ai dévalé le couloir, puis me suis engouffré dans la chambre que je partageais avec Larry Joe et Marcos.

Eleanor Corvit semblait être une vieille dame gentille, mais Mitch ne m'inspirait pas confiance. Un type qui ne s'arrêtait pas après avoir manqué percuter un chien était un fumier.

On m'a appelé, mais je n'ai pas répondu. J'ai préféré me cacher dans le placard, repoussant les vêtements et les sacs à dos scolaires pour finalement me dissimuler derrière un épais manteau d'hiver. Je suis resté là, immobile et silencieux, sans bouger d'un poil. J'ai entendu la porte de la chambre s'ouvrir et Kristyn déclarer que je n'étais pas là avant de refermer la porte.

— Ouf! Je l'ai échappé belle, ai-je murmuré en me lissant les cheveux et en me dirigeant vers mon ordinateur.

Je l'ai allumé et me suis rendu sur le Web. Dans le doute, il faut rechercher les faits. J'ai donc lancé le moteur de recherche et ai tapé « *De vraies familles* ».

L'ordinateur a ronronné, puis a affiché une vingtaine de correspondances. Après en avoir consulté quelques-unes, mon appréhension s'est quelque peu dissipée. *De vraies familles* était une émission populaire, appréciée. Elle portait sur des familles œuvrant auprès des sans-abri, recueillant des animaux abandonnés ou courant des marathons.

Elle s'intéressait maintenant à MA famille.

Mes doutes ont cédé la place à la fierté. Ma famille ÉTAIT spéciale. Ma mère et mon père étaient formidables et méritaient qu'une émission de télé leur rende hommage.

Je me suis senti ridicule de m'être enfui et caché. Une réaction exagérée. Enfin, il y a un mois, j'aurais été très content de passer à la télé. Mais le fait de découvrir que j'étais le fruit d'une expérience scientifique m'avait transformé. Depuis lors, je ne cessais de surveiller mes arrières, de redouter qu'on s'en prenne à moi comme on s'en était pris aux autres clones.

À Chase, à Allison et à Varina.

Comment allaient-ils, me suis-je demandé avec un profond soupir. Allison m'avait envoyé une courte lettre, puis plus de nouvelles.

J'ai éteint l'ordinateur. J'ai ensuite sorti du fin fond de mon tiroir de chaussettes la lettre d'Allison et ai relu ses mots rédigés d'une écriture nette et dynamique.

Salut, Eric !

Comment vas-tu ? Le calme est revenu et les méchants sont disparus. L'oncle de Varina a reçu son congé de l'hôpital. Ils ont embauché une infirmière et n'ont plus besoin de moi. Je suis donc de retour à la résidence des petites princesses. Mor-tel !

J'avais espéré que nous, les C.C., nous formerions une sorte de famille, mais je suppose que cela n'arrivera pas. Il est plus sûr que nous demeurions chacun de notre côté. Toutefois, si tu as besoin de quoi que ce soit, appelle. Compris ?

Ta C.C.,

Allison

P.-S. Chase est parti à la recherche de Sandee.

Je connaissais ces mots par cœur ! Mais au lieu de m'offrir des réponses, la lettre ne faisait que soulever des questions. Par exemple, qu'était-il arrivé au « méchant » docteur Mansfield Victor après sa tentative d'assassinat de Varina ? J'avais cherché sur le Web, mais n'avais récolté qu'un bref article sur l'agression et l'arrestation qui avait suivi. Et Geneva, la femme de Victor ? L'avait-on arrêtée également ?

Je m'interrogeais aussi sur l'oncle de Varina — l'un des scientifiques qui nous avaient créés quinze ans plus tôt. Après avoir été sauvagement agressé (sans doute par Victor), le docteur Jim Fergus avait sombré dans le coma. Il n'était plus à l'hôpital, mais était-il suffisamment remis pour renseigner Varina sur l'expérience de clonage ? Ou Varina, grâce à sa mémoire phénoménale, s'était-elle rappelé sans son aide certains faits marquants de son passé ?

Évidemment, le clone manquant demeurait le principal mystère. Où se trouvait Sandee Yoon ? Dans le but de la retrouver, Chase et Allison s'étaient rendus au Colorado où on leur avait dit qu'elle avait fugué. Et voilà que Chase s'était lancé à sa recherche. Réussirait-il à la retrouver ?

Dans ma lettre de réponse à Allison, je lui avais posé ces questions, de même que d'autres, mais elle n'avait pas encore répondu. J'étais donc dans l'expectative.

Pour tuer le temps, j'avais entrepris de tester mon étrange vision. Les mesures étaient stupéfiantes. Et à chaque test, je voyais encore plus loin.

J'aurais aimé faire part de mes découvertes à Allison, mais je n'avais pas trouvé un motif justifiant mon appel.

Jusqu'à présent.

En consultant ma montre, j'ai calculé qu'il devait être presque midi à San Francisco. Allison était sans doute sortie faire du bénévolat pour Habitat pour l'humanité. Elle adorait le travail physique exigeant et, en tant que clone, elle était dotée d'une force exceptionnelle. Allison était le genre de personne qui raffolait des perruques grotesques et des ballons tortillés en forme d'animal, une âme charitable possédant la fougue d'une meneuse de claque. Je l'avais trouvée sympathique au premier coup d'œil.

C'était Allison qui avait déclaré que nous, les clones, formions une sorte de famille. Elle nous avait donné un nom : les C.C., les clones cousins.

En cet instant, j'avais grandement besoin des conseils d'une cousine.

J'ai griffonné le numéro d'Allison sur un bout de papier, ai soigneusement rangé sa lettre, puis me suis faufilé hors de la chambre.

J'entendais le bourdonnement des conversations qui se poursuivaient dans la salle de séjour. Les visiteurs s'y trouvaient toujours. Mais du moins, on ne m'appelait plus. Avec un peu de chance, ils s'étaient résolus à interviewer Kristyn et Marcos à ma place.

J'ai soulevé le combiné et composé le numéro d'Allison.

J'ai retenu mon souffle… et j'ai attendu…

Une sonnerie. Deux. Quatre… Enfin, la voix d'Allison.

— Salut ! Désolée, mais je ne peux prendre votre appel pour l'instant. Veuillez laisser votre nom, un bref message…

Serrant le poing, je n'ai pas écouté la suite.

« Réfléchis vite, Eric. Veux-tu laisser un message ? Allison peut-elle rappeler en toute sécurité ? Et si quelqu'un la surprend ? »

Je ne voulais pas la mettre en péril.

J'ai donc raccroché.

Déçu, j'ai pivoté — et me suis retrouvé face à l'Emmerdeuse.

CHAPITRE 5

Los Angeles, Californie

— Je veux lui parler, disait d'une voix pressante et les yeux brillants de détermination la fille dont les courts cheveux foncés étaient striés de mèches blondes.

— Du calme, Serena, a répondu Amishka d'un air las tout en ajustant sa perruque. Aide-moi à me préparer pour ce soir. Hé, tu me prêtes ton bracelet de cheville ? Ce dauphin argenté est SI curieux.

— Personne ne porte mon bracelet de cheville à part moi. Et ne change pas de sujet. Je te parle de MA vie, là. Allez, Amishka, fais-le pour moi. S'IL TE PLAÎT !

— Pas question, a rétorqué Amishka en saisissant sa trousse de toilette. Contente-toi de finir de coudre ma jupe perlée rouge. Tu es ici pour m'assister, pas pour chanter. Compris?

— Oh, j'ai très bien compris. Tu peux te foutre ta jupe où je pense, a craché Serena.

D'un geste rageur, elle a lancé la jupe perlée rouge en question sur le sol et est sortie à grands pas furieux de la chambre d'hôtel.

La colère de Serena avait dépassé le point d'ébullition. Depuis presque un an, elle était l'esclave d'Amishka, et pour QUOI? Pour quelques dollars de-ci de-là, un endroit où camper la nuit venue, mais jamais pour ce qu'on lui avait fait miroiter. Quand allait-on enfin lui permettre de tenter sa chance sur la scène? Elle chantait mieux que tous les autres membres de la troupe. Si seulement Slam, le chanteur vedette du Fever Pitch, l'entendait…

Amishka ne cessait de lui promettre de glisser un mot à Slam, mais les mois passaient et n'apportaient aucun changement. Serena en avait plus qu'assez d'être le petit chien d'Amishka. Va chercher ceci, répare cela, couche-toi là et tiens-toi loin.

« Bien! a songé Serena. Je vais me tenir loin en effet. Je m'en vais! Mais avant, je vais obliger Slam à m'écouter. »

Elle a foncé le couloir pour prendre l'ascenseur jusqu'au dix-septième. Étant donné que le Fever Pitch ne faisait que la première partie du spectacle, il n'avait pas droit à l'appartement du dernier étage. Ce privilège était réservé à la TA (tête d'affiche), le charmant vaurien du rock, Ravage. Serena s'étonnait encore de loger dans le même hôtel qu'une vedette aussi célèbre que Ravage. Elle aurait fait n'importe quoi pour obtenir son autographe ou pour le voir de près… Waouh !

Toute sa vie, elle n'avait nourri qu'une seule ambition : s'approcher de Brandy ou de Britney Spears. Ses copains se pâmaient sur sa voix, et pas par pure gentillesse. Sa voix était sublime. Elle était capable de faire voler un verre en éclats lorsqu'elle lançait des notes aiguës — tout un EXPLOIT !

Mais elle n'arriverait à rien au Colorado. Elle avait donc planté là sa famille de cinglés, changé de nom, modifié son apparence, puis avait pris le chemin de Los Angeles, la capitale du soleil et du smog. Elle s'était imaginé qu'elle deviendrait bien vite riche et célèbre, une super vedette.

« Eh bien, c'est le moment, a-t-elle songé, poussée à l'action par sa fureur. Plus question d'attendre qu'Amishka déclare que le moment était opportun. »

« Je déclare qu'il est opportun maintenant. »

Arrivée au dix-septième étage, elle a foncé vers la suite de Slam. Elle y était presque lorsqu'elle a vu Slam ouvrir une porte portant l'inscription « Escaliers ».

— Slam! s'est-elle écriée, mais il avait déjà disparu.

Serena s'est élancée à sa suite.

Une fois la porte refermée, elle a tendu l'oreille, immobile. Elle a perçu un bruit de pas, légers et rapides, à l'étage au-dessus. Où Slam se rendait-il?

« Visiblement pas au dernier étage, a-t-elle conclu en passant devant la porte menant à l'appartement prestigieux. Mais qu'y avait-il au-dessus? »

Elle l'a découvert quelques instants plus tard en se retrouvant devant une porte portant l'inscription « Toit ». Stupéfaite, elle l'a poussée.

Slam n'était pas visible, mais elle entendait toujours le bruit de ses pas rapides. Avant de refermer la porte, elle s'est assuré qu'elle ne la verrouillerait pas derrière elle. Elle avait la phobie de l'eau, mais pas des hauteurs. Toutefois, elle n'avait pas envie de se retrouver piégée sur le toit. Heureusement, la porte n'était pas munie d'un verrou automatique. Serena a donc continué de filer Slam.

Qui aurait cru qu'un toit pouvait être aussi VASTE? Et ce n'était pas plat comme elle l'avait imaginé. Un énorme appareil de conditionnement d'air et diverses structures le transformaient en labyrinthe.

Serena était encore suffisamment furieuse pour poursuivre sur sa lancée. Elle ALLAIT trouver Slam. Il ALLAIT l'écouter. Et elle ALLAIT devenir une vedette.

Mais trouver Slam ne se révélait pas si simple. Après avoir contourné l'appareil de conditionnement d'air, Serena s'est retrouvée au bord du toit, toute seule.

— Slam? a-t-elle lancé en entendant une porte se refermer dans son dos.

Se laissant guider par le bruit, elle s'est faufilée dans un étroit passage entre deux murs au bout duquel elle a aperçu une porte.

Elle a saisi la poignée, mais la porte était verrouillée.

Elle a secoué la poignée, l'a tournée en tous sens, en vain. Jurant, elle a frappé la porte du pied.

— Je l'ai perdu!

Elle a pesté encore une fois, puis a regardé autour d'elle en se demandant comment sortir de là. Sans doute en retournant sur ses pas.

Heureusement, la première porte n'était pas verrouillée.

Mais, cette fois, l'étroit passage l'a conduite non pas à l'avant du toit, mais à l'arrière. Devant elle s'étendait une vaste zone dénudée dont le sol de béton portait des indications peintes, indiquant sans doute une piste d'atterrissage pour hélicoptères.

Mais il y avait autre chose.

Elle a hoqueté, le regard fixe.

IMPOSSIBLE ! C'était sûrement une hallucination.

Elle a fermé les yeux et secoué la tête, comme si cette vision était un dessin tracé sur un écran magique et que celui-ci allait s'effacer d'un coup. Puis, elle a rouvert les yeux.

Mais la CHOSE était toujours là.

Un coffre de bois, long et incurvé.

Un cercueil.

CHAPITRE 6

Eleanor Corvit m'a invité à prendre place sur le divan, à côté d'elle, d'une voix si douce et maternelle que je n'ai pas osé refuser.

— Oui, m'dame, ai-je dit, soudainement intimidé.

Ma sœur, mon frère et mes parents ayant quitté la pièce, j'étais donc seul avec nos visiteurs. Ça ne me rassurait pas que Mitch le chauffard soit tout près, une caméra à la main. Il me surveillait comme un rapace observe le cadavre frais d'un animal gisant sur la route.

— Je veux tout savoir de toi, Eric, a déclaré Eleanor avec chaleur.

— Il n'y a pas grand-chose à raconter, m'dame, ai-je répondu en haussant les épaules, mal à l'aise sous le regard intense du Rapace.

— Les enfants de la famille Prince sont si polis, a-t-elle gloussé. Vos parents vous ont admirablement élevés, et je suis ravie d'être ici. Nous allons prendre le temps de faire connaissance. Tu peux donc te détendre.

— Je vais essayer.

— Parle-nous de toi.

— Pardonnez-moi, m'dame.

J'ai dégluti et décidé que je ne pouvais rester là en feignant d'ignorer ce qui me trottait dans la tête.

— Oui ?

— Avant que nous discutions, il y a un truc que vous devriez raconter à mes parents.

J'ai lancé un coup d'œil en direction de Renegade, petite boule confiante roulée à mes pieds.

— Que veux-tu dire ?

Eleanor, visiblement perplexe, a incliné la tête. Mais Mitch s'est renfrogné et a détourné le regard d'un air coupable.

— J'ai vu votre voiture, tout à l'heure. Elle roulait très vite.

J'ignorais à quelle distance je me trouvais alors.

— Vraiment ? a répondu Eleanor en écarquillant les yeux. Tu comprends donc à quel point j'étais bouleversée. J'ai cru que je ne m'arrêterais jamais de trembler.

— Vous trembliez ?

Avais-je raté quelque chose ?

— Mais vous avez failli tuer Renegade. Et vous ne vous êtes même pas arrêtés.

— C'est ma faute, a reconnu Mitch, les épaules basses et la mine contrite. Eleanor a le cœur fragile et je ne voulais pas qu'elle s'énerve.

— Je te l'avais bien dit qu'il nous fallait revenir sur nos pas et aller voir cette pauvre bête, a dit Eleanor d'une voix frêle et brisée par l'émotion.

— Mais je croyais que c'était un loup, a riposté Mitch avant de se tourner vers moi en soupirant. Je n'ai aperçu qu'une vague forme marron. Ce n'est que lorsque j'ai vu votre chien que j'ai compris ce qui s'était passé. Ou plutôt, ce qui s'était PRESQUE passé. Je suis content que ton chien n'ait rien.

— Moi aussi.

Mitch a souri et s'est penché pour tapoter Renegade.

— Heureusement que tu es vif, le chien. Je m'en voudrais de faire du mal à un chien aussi formidable.

— Il EST vraiment formidable, ai-je dit en souriant et en me détendant enfin.

Je devais apprendre à ne pas sauter aux conclusions aussi vite. Tout compte fait, Mitch était un type bien.

— Cher Eric, si nous parlions de TOI, a enchaîné Elenaor avec un sourire qui a creusé les rides entourant sa bouche.

— D'accord.

— Commençons par le commencement. Par exemple, quel âge avais-tu lorsqu'on t'a adopté ?

J'ai failli dire deux ans, mais me suis mordu la langue. Si je racontais la vérité à la télé, il se pouvait que l'un des téléspectateurs comprenne que j'étais un clone. Ce qui mettrait en péril les autres clones et ma famille.

J'ai donc menti.

— Je n'avais que quelques heures lorsque j'ai été adopté.

— Possèdes-tu des renseignements sur tes parents biologiques ? a interrogé Eleanor en jetant des notes dans un carnet relié de cuir.

— Ouais.

J'ai tourné le regard vers la caméra posée sur les genoux de Mitch et ai prétendu que l'entretien se déroulait en direct et que, quelque part dans l'univers télévisuel, Victor le méchant et Geneva étaient devant leur écran.

— Parle-nous de tes parents biologiques, a soufflé Eleanor.

— Ma vraie mère n'était encore qu'une adolescente à ma naissance, mais, comme elle a pu poursuivre ses études au lieu de m'élever, elle est médecin maintenant.

— Bravo, s'est exclamée Eleanor en souriant. Et ton père biologique ?

— Eh bien, euh, c'est un magicien. Il fait partie d'un cirque et m'envoie des cartes postales des quatre coins du monde.

— Comme c'est intéressant ! J'aimerais bien m'entretenir également avec lui.

Eleanor a noté un truc et mon estomac s'est révulsé. J'avais peut-être eu le mensonge trop facile. Et s'ils se lançaient à la recherche de mon « père » et découvraient qu'il n'existait pas ? J'ai donc résolu de m'en tenir à la vérité pour la suite de l'entretien.

Mais avant même qu'Eleanor m'interroge davantage, Mitch l'a regardée en haussant les sourcils, comme pour lui transmettre un message. Avaient-ils deviné que je mentais ? Il avait dû se produire quelque chose, car Eleanor s'est brusquement levée.

— Ce fut un réel plaisir de discuter avec toi, Eric, a-t-elle déclaré en tapotant ses boucles grises.

— C'est terminé ? ai-je demandé, soulagé et étonné.

— Oui, a-t-elle répondu en jetant un coup d'œil à Mitch. Nous avons suffisamment accaparé ta famille pour aujourd'hui. Vous nous avez tous été très utiles.

J'ai détourné le regard, sachant à quel point je n'avais pas été utile.

Mitch a repoussé sa chevelure aux reflets roux.

— On se revoit plus tard, Eric.

— Ouais. Peut-être ce soir, au défilé. Vous y serez?

— Compte sur nous. Nous ne voulons pas rater l'occasion de voir ta charmante sœur sur son char allégorique. Dis à tes parents que je vais communiquer avec eux, a dit Eleanor en prenant son sac à main.

Et ils sont sortis. Mais j'ai vite découvert qu'ils avaient laissé un truc derrière eux.

CHAPITRE 7

J'ai pris la caméra de Mitch avec soin, craignant de l'échapper ou de l'endommager. J'avais entendu dire que les photographes veillaient jalousement sur leurs appareils. Pourtant, Mitch avait oublié le sien. J'imaginais qu'il allait flipper lorsqu'il s'en rendrait compte et j'espérais que mes parents avaient son numéro et pourraient ainsi l'informer qu'elle se trouvait en lieu sûr.

Mieux encore, j'allais la lui rendre moi-même. Bonne idée. Je cesserais peut-être alors de me sentir coupable de leur avoir menti.

Eleanor Corvit et Mitch Crouch avaient déclaré loger en ville, sans doute dans l'un des gîtes touristiques élégants. « Je ne devrais pas avoir de mal à les retrouver », ai-je songé.

Il ne me restait plus qu'à trouver quelqu'un qui me conduirait en ville. Même cela s'est avéré aisé. Lorsque j'ai raconté à mes parents que Mitch avait oublié sa caméra, ils m'ont offert de les accompagner quand ils iraient conduire Kristyn. Comme elle participait au défilé, elle devait s'y rendre à l'avance pour répéter et se préparer.

Le soleil était bas dans le ciel lorsque nous avons déposé Kristyn à son école. Mes parents m'ont ensuite conduit jusqu'au gîte le plus grand et le plus luxueux en ville, le Bloomtree Inn.

— Lorsque tu auras fini, rends-toi aux gradins et attends-nous, m'a dit ma mère par la glace baissée. Nous y serons dans une heure pour nous assurer d'avoir de bonnes places pour le défilé.

— Oui, m'dame.

Je me suis penché pour l'embrasser et ai salué d'un geste mon père derrière le siège du conducteur. J'ai tourné les talons et me suis dirigé vers le vaste gîte à niveaux multiples.

Une grande animation régnait à l'intérieur du Bloomtree Inn bourré de spectateurs venus assister au défilé. Après avoir fait la queue devant le comptoir de la réception, je me suis adressé à la commis, une fille nommée Virginia (qui se trouvait à être la sœur d'un de mes profs). Virginia a pianoté sur son ordinateur et n'a trouvé aucun client du nom de Corvit ou de Crouch. Mais elle a passé quelques coups de fil et a découvert qu'une Mme E. Corvit s'était inscrite au Willows Inn.

Youpi ! Après avoir remercié Virginia, je me suis hâté vers le Willows Inn, à quelques pâtés de là.

L'auberge était une ancienne maison victorienne, haute et tarabiscotée, ornée d'arches gracieuses et de vitraux, qu'on avait rénovée et repeinte en jaune clair et en blanc cassé. Je n'y étais jamais entré, mais j'étais passé devant d'innombrables fois.

J'ai rentré mon t-shirt dans mon jean pour me rendre présentable, ai franchi le portail bordé d'une dentelle de fer forgé et suis entré dans un petit salon au chaleureux décor d'autrefois. Les lampes anciennes jetaient un éclairage tamisé créant une ambiance digne d'une autre époque. Quelques clients installés dans un coin tranquille sirotaient leur thé en discutant à voix basse.

Je me suis dirigé vers une femme corpulente aux cheveux sombres chargée d'une pile de serviettes.

— Excusez-moi, je cherche Mme Corvit.

Lorsqu'elle s'est tournée, j'ai reconnu en elle une femme qui fréquentait mon église sans toutefois réussir à me rappeler son nom.

Elle a repoussé ses lunettes cerclées de métal et m'a examiné.

— Je te connais. Tu es l'un des enfants Prince.

— Oui, m'dame. Je m'appelle Eric.

Je me suis dandiné en baissant les yeux sur mes baskets sales et éraflés.

— Je cherche Mme Corvit ou son ami, M. Crouch.

— Les gens de New York, a-t-elle dit avec un sourire. Ils occupent la chambre violette et la chambre turquoise. Mais ils n'y sont pas pour l'instant.

— Non? ai-je demandé, consterné.

— Non. Je les ai vus rentrer en voiture il y quelque temps, mais ils sont repartis. Je suppose qu'ils sont allés prendre une bouchée.

— Zut, ai-je dit en tendant le sac en papier dans lequel se trouvait la caméra. Je voulais rendre sa caméra à M. Crouch. Il l'a laissée chez nous.

— Ils sont allés chez vous?

Elle a dressé l'oreille, visiblement avide de ragots.

— Ce sont des amis à vous?

— On peut dire ça. Je veux juste rendre la caméra.

— Leurs chambres se trouvent au bout du couloir. Je suis en train de distribuer les serviettes, donc la porte est ouverte. Vas-y et laisse la caméra à l'intérieur. Je suis certaine que cela n'ennuiera pas tes amis.

— Merci, m'dame.

Puis, sans lui laisser le temps de poser d'autres questions, j'ai tourné les talons et me suis élancé dans le couloir.

La porte portant l'inscription « Chambre violette » était ouverte. J'ai jeté un regard hésitant à l'intérieur. Sur le lit orné de coussins de dentelle au crochet, la courtepointe était impeccablement tirée. Plusieurs valises de cuir très chères reposaient sur le sol et, du coin de l'œil, j'ai aperçu dans la penderie des vêtements féminins. Il s'agissait manifestement de la chambre de Mme Corvit.

Je suis entré dans la chambre et je me suis approché du lit sur lequel j'ai posé le sac. Je m'apprêtais à partir lorsque, en tournant les talons, j'ai maladroitement heurté du pied l'une des valises qui s'est écroulée sur sa voisine et ainsi de suite jusqu'à ce que les trois tombent sur le sol comme des dominos.

— Oh non ! me suis-je écrié en voyant que l'une des valises s'était ouverte en répandant un lot de chaussures féminines.

Des escarpins à talons hauts, des chaussures plates d'un rouge éclatant, des chaussures argentées à bout pointu, des sandales pourpres, des souliers de course, des pantoufles en suède. Jamais je n'avais vu autant de chaussures !

J'ai entrepris de les remettre soigneusement dans la valise. Je les ai comptées — treize paires de chaussures ! Tout ça pour UNE seule paire de pieds ? Était-ce possible ?

Je venais de refermer la valise lorsque j'ai aperçu du coin de l'œil un éclat argenté sous le lit. En me penchant, j'ai vu qu'une chaussure argentée avait roulé jusqu'à se trouver hors d'atteinte. Zut ! Il me faudrait aller la récupérer là-dessous.

Avec un soupir, j'ai rampé sur la moquette jusqu'à ce que ma tête et mes épaules soient sous le lit. J'ai tendu le bras le plus loin possible, mais sans réussir à toucher la chaussure. J'ai donc rampé encore un peu jusqu'à ce que seules mes jambes émergent du lit.

J'ai saisi la chaussure.

« YOUPI ! JE L'AVAIS ! »

La semelle portait encore une étiquette rouge affichant le prix. Curieux, j'y ai jeté un coup d'œil et le prix m'a arraché un sifflement. Avec une telle somme, j'aurais pu me procurer quatre ou cinq jeux sur ordinateur! Même le nom du magasin semblait coûteux — Pacific Soles.

Je me suis tortillé pour sortir de dessous le lit, mais je me suis arrêté à mi-chemin au son de deux bruits qui m'ont donné la chair de poule. Un bruit de pas et un bruit de voix.

Les pas se rapprochaient, accompagnés par le bourdonnement de deux voix, celle d'un homme et celle d'une femme. Ils avançaient dans le couloir.

« Catastrophe! »

Je connaissais ces voix!

Eleanor Corvit et Mitch Crouch étaient de retour.

CHAPITRE 8

Deux possibilités s'offraient à moi. La première : être découvert tapi sous le lit, une chaussure de femme à la main. La seconde : me cacher.

Mes parents n'avaient pas fait de moi un imbécile. J'ai choisi de me cacher.

Sauf que lorsque j'ai filé sous le lit et ramené les jambes contre la poitrine, mon visage a heurté le sommier… et j'ai perdu mes lunettes.

« Y a-t-il pire empoté que moi en ce monde ? »

Dégoûté de moi-même, je suis resté recroquevillé, sans oser bouger ni même respirer. Me rappelant que Mme Corvit avait exprimé l'intention d'assister au défilé, je me suis consolé en me répétant que je ne serais pas coincé là-dessous très longtemps.

Du moins, j'espérais bien que non.

— Mitch, ne perdons pas de temps, a dit Mme Corvit en s'assoyant sur le lit, et les ressorts du sommier ont rebondi et sont venus me gratouiller.

— D'accord. Inutile de traîner dans les parages.

— Dieu merci, il ne nous a fallu que trois entretiens pour découvrir ce qui nous intéressait. J'ai l'impression d'avoir délaissé la civilisation depuis des années, a-t-elle dit, ses bottillons de cuir à quelques centimètres de mon nez, quoique je ne les distinguais pas très nettement étant donné que je commençais à voir flou.

— Hé, j'ai grandi dans une petite ville. Il n'y a guère d'animation, mais je ne déteste pas un rythme de vie plus lent.

— Connaissant TON passé, cela ne m'étonne pas, a dit Mme Corvit d'une voix acerbe qui m'a stupéfié.

Où était passé son ton doucereux de grand-mère ?

— Vous m'avez engagé justement en raison de mon passé, a-t-il rétorqué d'une voix également sarcastique. Ne l'oubliez pas.

— Je n'oublie rien ni n'en ai l'intention. Vous avez fait du bon boulot jusqu'à présent, ne commencez donc pas à m'énerver. Contentons-nous de ramasser nos trucs et de partir.

— Ouais, le plus tôt sera le mieux. Mais je suis désolé de rater le défilé nocturne. Ça aurait été amusant.

— Uniquement si vous souhaitez courir le risque de retourner en taule.

Les ressorts du sommier ont de nouveau tressauté et j'ai entendu un froissement de papier.

— Mitch, qu'est-ce que c'est que CELA ? Comment se fait-il que VOTRE caméra soit sur mon lit ?

— Sais pas. Je croyais l'avoir laissée chez les Prince.

— C'est ce que vous avez FAIT, une incroyable négligence de votre part. Je vous avais pourtant déconseillé d'attirer l'attention sur vous, a-t-elle dit d'un ton hargneux.

— Hé, nous l'avons récupérée. C'est donc sans conséquence.

J'ai vaguement vu des chaussures marron foncé s'approcher des bottillons de cuir. Je tremblais de tout mon corps et n'arrivais pas à croire ce que j'entendais. Mitch avait fait de la taule ? Était-ce la raison pour laquelle Mme Corvit se montrait si agressive ? Et pourquoi n'assisteraient-ils pas au défilé ? Ils n'avaient pas encore terminé leurs entretiens avec nous.

Soudain, un truc sombre et duveteux est tombé sur le sol avec un floc. J'ai failli crier, croyant que c'était un cadavre d'animal. Mais en me forçant à faire le point, j'ai constaté que ce n'était qu'une perruque. Une perruque grise.

— Quel soulagement, a dit Mme Corvit d'une voix radoucie qui a semblé soudain nettement plus jeune.

Que se passait-il ? Pourquoi portait-elle une perruque ? La seule personne de ma connaissance qui en avait porté une était Kristyn lorsqu'elle avait perdu ses cheveux après sa chimiothérapie il y avait quelques années. Ou bien Mme Corvit souffrait d'autre chose que d'un cœur fragile, ou bien elle jouait la comédie.

Ma méfiance s'est accrue et une peur nouvelle m'a envahi.

J'ai entendu Mitch quitter la pièce, sans doute pour regagner sa chambre. Je me suis raidi pendant que Mme Corvit ouvrait une valise et faisait cliqueter les cintres en terminant ses bagages. Elle fredonnait joyeusement, comme si elle avait été d'excellente humeur. J'espérais qu'elle n'irait pas vérifier ses chaussures et s'apercevoir qu'il en manquait une. Sa bonne humeur s'envolerait à coup sûr si, en la cherchant, elle me découvrait sous le lit.

Je n'avais pas encore été débusqué lorsque Mitch est revenu avec sa valise — j'ai cru du moins que ce gros truc sombre était une valise. Il m'était difficile de voir de près sans mes lunettes. Plusieurs autres formes me sautaient aux yeux ; des vêtements gris, bleus et bruns — comme si j'avais pu voir à l'INTÉRIEUR de la valise.

Stupéfait, j'ai brusquement détourné la tête, effrayé par ce que je voyais.

— Qu'est-ce que c'était ? s'est écriée Mme Corvit.

Je me suis figé, ai fermé les yeux et me suis tenu aussi tranquille qu'une statue.

— QUOI ? a demandé Mitch d'un ton impatient.

— J'ai entendu du bruit. Du moins, je le crois. Au cas où, allez donc voir à la porte et à la fenêtre.

— Il n'y a personne dans le couloir, et la fenêtre est recouverte d'un épais rideau. Ne devenez pas paranoïaque.

— Et vous, ne contestez pas mon autorité, a-t-elle dit d'une voix glaciale. Vous ne savez pas de quoi je suis capable, et il serait préférable pour vous que vous ne le découvriez JAMAIS.

Je m'attendais à ce que Mitch lui lance une remarque sarcastique, mais il n'a pas répondu. Grand-mère Corvit avait réduit Mitch, l'ex-taulard, au silence.

— Mitch, portez ces valises à la voiture, a ordonné Mme Corvit. Comme nous ne pouvons pas utiliser le coffre, posez-les sur la banquette arrière. Où ai-je mis mon sac à main? a-t-elle ajouté en baissant la voix.

— Là, sur le sol, a dit Mitch avant de soulever les valises en grognant.

En traversant la pièce pour aller récupérer son sac à main, Mme Corvit est passée à quelques centimètres de moi. J'ai tordu légèrement le cou et posé les yeux sur le sac à main de cuir blanc. Ma vision s'est de nouveau embrouillée, et j'ai dû me concentrer pour faire le point. Et il ne faisait plus de doute, cette fois-ci, que je voyais au-delà du cuir blanc, à l'intérieur même du sac. Des clés, des produits de maquillage, une brosse, des gants de caoutchouc, des mouchoirs en papier, des billets pour le musée, deux tubes de médicaments, un revolver...

«UN REVOLVER!»

M'efforçant de conserver mon sang-froid, j'ai plongé le regard au-delà du revolver, dans les replis les plus profonds d'un mince portefeuille lavande. Un chéquier, des cartes de crédit, des billets de vingt et de cinquante dollars en nombre incalculable. Un permis de conduire émis en Californie et portant l'adresse d'une case postale de Monterey… Un instant ! Mme Corvit avait affirmé être de New York.

Puis, j'ai vu le nom sur le permis.

Pas celui d'Eleanor Corvit, mais un nom que j'ai reconnu sur-le-champ.

Un nom qui m'a rempli de terreur.

Geneva Victor.

CHAPITRE 9

Los Angeles, Californie

Serena ne pouvait détacher les yeux du cercueil. Pourquoi diable y avait-il un cercueil sur le toit ? Pour quelle raison quelqu'un abandonnerait-il un truc aussi bizarre dans un endroit encore plus bizarre ? Et la grande question.

Le cercueil était-il VIDE ?

Ou y avait-il quelqu'un à l'intérieur ?

Un cadavre.

— Bon, ça ne me regarde pas, s'est dit Serena en reculant. C'est toujours une mauvaise idée de se mêler de ce qui ne nous regarde pas. Je l'ai déjà fait et je ne le ferai plus. Je passe mon tour.

Pourtant, elle n'arrivait pas à détacher les yeux du cercueil. La dernière fois où elle en avait vu un, c'était aux funérailles de sa grand-tante Helen. La bière était fermée, car sa tante était morte dans un incendie. Et pourtant, Serena avait ressenti le désir de regarder à l'intérieur, poussée par une curiosité morbide à laquelle elle avait résisté.

Pour l'heure, la même curiosité morbide la taraudait avec insistance, l'incitait à s'avancer et à jeter un coup d'œil. Vite fait. Quel mal y avait-il à cela? Il ne pouvait pas y avoir quelqu'un à l'intérieur. Ce serait vraiment TROP tordu.

Un pas, un de plus, et encore un.

Serena s'est mordu la lèvre, hésitante, mais désormais trop intriguée pour tourner les talons.

Ce n'était peut-être pas un vrai cercueil.

Ouais, a-t-elle songé, c'est sûrement un accessoire de théâtre qu'une troupe a laissé derrière. N'avait-on pas présenté un spectacle de magie ces derniers mois? Un prestidigitateur nommé Majestic ou un truc de ce genre. Il était loin d'avoir l'aura d'une vedette comme Ravage, mais le public accourait toujours en foule aux spectacles de magie.

Majestic avait sans doute enfermé sa « charmante assistante » dans le cercueil, puis l'avait sciée en deux ou empalée comme un chiche-kebab à l'aide de «vrais» sabres, pour ensuite ouvrir le cercueil duquel avait jailli l'assistante, saine et sauve, et en un seul morceau. Un numéro lamentable, de l'avis de Serena. Tous ces numéros de magie étaient truqués.

Elle a fait encore quelques pas et s'est arrêtée au bord du cercueil, qui paraissait TRÈS authentique.

«Une illusion», a-t-elle songé pour se rassurer.

Elle a tendu le bras et a laissé ses doigts courir délicatement sur le bois poli comme un miroir. Dur, doux et frais.

Ses doigts ont glissé jusqu'au bord du couvercle et elle a hésité, incertaine, mais remplie de curiosité. Cela n'avait rien à voir avec les funérailles de sa tante, avec tous ces pleureurs entassés dans la petite pièce bondée. Elle était seule sur le toit. Elle pouvait jeter un coup d'œil et personne n'en saurait rien. Jamais.

Elle a saisi le bord du couvercle et l'a soulevé. Il était plus lourd qu'elle ne le pensait, il devait être fait d'un bois rare, coûteux. Visiblement, le cercueil était plus luxueux que les accessoires courants.

Serena a soulevé un peu plus le couvercle, ce qui lui a permis d'apercevoir le miroitement du capitonnage de satin doré, puis un truc d'une blancheur d'albâtre — deux mains croisées sur une poitrine sans mouvement. Un corps. Un VRAI corps, ce qui signifiait qu'il s'agissait d'un VRAI cercueil.

Le regard de Serena a glissé plus haut… jusqu'au visage de la personne… et elle a failli hurler.

NON! Impossible… pas lui!

Mais c'était indéniable.

Le corps était celui d'une grande étoile qui plus jamais ne brillerait sur une scène : le seul, l'unique et le très décédé Ravage.

CHAPITRE 10

Si jamais Geneva Victor découvrait ma présence, je n'étais pas mieux que mort !

Varina avait décrit Geneva sous les traits d'une femme froide et cupide, capable de faire n'importe quoi pour de l'argent. C'était une sorte de scientifique qui transportait une mallette pleine de seringues, d'éprouvettes et de scalpels. Je n'avais pas du tout envie de faire l'objet d'une expérience biologique.

Les paroles d'Eleanor alias Geneva me sont revenues à l'esprit :

« Dieu merci, il ne nous a fallu que trois entretiens pour découvrir ce qui nous intéressait. »

Ce qui signifiait qu'ils avaient COMPRIS que j'étais un clone. Comment avaient-ils deviné ?

Savaient-ils quelque chose que j'ignorais au sujet de mon passé ? Ou avaient-ils entrevu le « 229B » tatoué sur ma cheville ?

Varina et Chase avaient également un tatouage composé de chiffres. Et Sandee, le clone toujours manquant, en avait sans doute un. Seule Allison n'en avait pas, mais la cicatrice à sa cheville constituait la preuve qu'elle avait eu une marque quelconque à une certaine époque.

Toutes ces pensées m'ont traversé l'esprit en l'espace de quelques secondes, le temps que Geneva ramasse son sac, remette sa perruque et sorte de la pièce.

Lorsque la porte s'est refermée, j'ai poussé le plus profond et le plus tremblant des soupirs de soulagement.

J'étais sauf !

J'ai néanmoins attendu quelques minutes avant de ramper de dessous le lit. Je me suis redressé, ai chaussé mes lunettes et regardé la chaussure que je tenais encore à la main. Elle m'avait en quelque sorte sauvé la vie, mais elle LUI appartenait. Je l'ai jeté par terre en tressaillant.

J'ai entrouvert la porte et ai jeté un coup d'œil dans le couloir. Il n'y avait personne en vue. Je me suis donc glissé à l'extérieur et ai regagné le petit salon à pas lents et prudents, juste à temps pour voir la porte d'entrée se refermer sur Geneva et Mitch.

Que faire, me suis-je demandé? Appeler les flics? Pour leur dire quoi? J'avais des soupçons, j'avais des craintes, mais je n'avais pas de preuves. Aucun crime n'avait été commis. Geneva Victor avait découvert mon adresse, mais elle n'avait pas tenté de s'en prendre à moi. Pas encore.

Quel but poursuivait-elle? Pourquoi avait-elle embauché un « fier-à-bras » comme Mitch si elle ne cherchait qu'à localiser les clones? Quels étaient leurs plans? J'avais l'impression qu'il me manquait un important morceau du puzzle. Mais, au moins, j'étais sauf et on ne m'avait pas attrapé en train de fouiner. J'étais peut-être un empoté mais, aujourd'hui, j'avais été un empoté veinard.

À cette heure-ci, mes parents étaient sans doute revenus en ville avec toute la famille et ils se préparaient à regarder Kristyn participer au défilé. Je ne pouvais pas téléphoner à la police sans révéler le secret de ma naissance, mais je pouvais toutefois avertir mes parents.

J'ai donc quitté l'auberge, battant des paupières dans la pénombre qui s'était installée pendant mon séjour sous le sommier. Il faisait froid, maintenant, et j'ai regretté de ne pas avoir pris une veste plus chaude.

Je me suis tourné en entendant le grondement d'un moteur et j'ai vu une voiture grise avec une pile de valises sur la banquette arrière sortir de la zone de stationnement. Geneva Victor, coiffée de sa perruque grise de grand-mère, tenait le volant et Mitch était à ses côtés. Ils sont passés devant moi sans m'accorder un regard et se sont dirigés vers l'extérieur de la ville. Où se rendaient-ils? Partaient-ils? Je l'espérais, mais en doutais.

Pas de temps à perdre. Je DEVAIS tout raconter à mes parents.

Je me suis donc mis à courir, comme je l'avais fait plus tôt pour me porter au secours de Renegade. Mais, cette fois, c'était moi qui étais en danger.

Je me suis dirigé vers les lumières qui, par milliers, illuminaient les rues. Il était plus tard que je ne le pensais. Le défilé allait bientôt commencer.

En tournant un coin de rue, j'ai aperçu une enfilade de chars allégoriques joliment illuminés, de fanfares et de cavaliers parés de guirlandes lumineuses, de même que des masses de spectateurs impatients d'assister au défilé. Il y avait trop de chars pour que je puisse repérer Kristyn mais, en passant devant la fanfare de mon lycée, j'ai aperçu Larry Joe qui discutait avec un de ses copains.

— Salut, Larry Joe! ai-je crié d'une voix forte afin de couvrir le bruit des instruments qui s'accordaient et la cacophonie des voix.

Il a pivoté dans son fauteuil et m'a fait signe.

— Salut, Eric. Tu en as mis du temps à rapporter une caméra! Maman et papa te cherchaient.

— Désolé. Mais j'ai été coincé, ai-je répondu en m'épongeant le front. Où sont-ils?

— Près des gradins. Ils ont dégotté un endroit parfait pour assister au défilé.

— Bien. Il faut que je leur parle TOUT DE SUITE.

— Que se passe-t-il? s'est enquis Larry Joe d'un air moqueur. Ça ne va pas? Tu as l'air encore plus bizarre que d'ordinaire.

— Je n'ai pas le temps de discuter, mais, non, ça ne va pas.

Les sourcils froncés, j'ai tourné les talons et, fonçant dans la foule, je suis parti à la recherche de mes parents.

Mais le défilé s'est ébranlé à cet instant précis.

Les chevaux se sont lancés en avant, des plates-formes électrifiées d'une manière élaborée sont passées devant moi dans une débauche d'étincelles, et je me suis retrouvé coincé du mauvais côté de la rue. Pour traverser jusqu'aux gradins, j'allais devoir me joindre au défilé.

Des cris excités se mêlaient à la musique et au roulement des véhicules. Quelques mètres devant moi, un escadron de chevaux clopinait et, bousculé par la foule des spectateurs débordant d'enthousiasme, j'ai fait quelques pas tout en cherchant désespérément le moyen de traverser la rue.

Finalement, les chevaux sont passés, suivis par une troupe de clowns pleins d'entrain au visage peint de couleurs vives et au nez rouge, tenant des bouquets de ballons prêts à s'envoler. L'un d'entre eux est allé distribuer des ballons à la foule.

Sans réfléchir, je l'ai rejoint d'un bond, me suis emparé des ballons et me suis « mêlé » aux clowns. Dans le lot de ballons, certains étaient de forme allongée et, tout en me frayant un chemin vers l'autre côté de la rue, un « sourire de parade » aux lèvres, je les ai tordus pour en faire un chapeau que je me suis vissé sur le crâne. On avait vu mieux comme déguisement, mais cela a fait l'affaire.

Lorsque j'ai réussi à atteindre l'autre côté de la rue, j'ai retiré mon couvre-chef et l'ai posé sur la tête d'une fillette coiffée de tresses noires.

Je me suis hâté de gagner les gradins tout proches, balayant la foule du regard en quête de ma famille. Oui, ils étaient là !

— Maman ! Papa ! ai-je crié en fendant la foule.

— Te voici enfin, Eric, a dit ma mère en m'étreignant. Nous commencions à nous inquiéter.

Mon père entourait de ses bras ma petite sœur perchée sur ses épaules.

— Heureux de voir que tu nous as finalement rejoints.

— Mais j'ai failli ne PAS y arriver ! ai-je haleté avant de reprendre mon souffle. Ils m'ont presque DÉCOUVERT !

— Qui ? a demandé ma mère.

— Eleanor et Mitch. Mais ce n'est pas ce qu'ils sont en réalité, du moins, pas Eleanor ; pour Mitch, je ne sais pas.

— Tout doux, fiston, a rétorqué mon père avec un regard désapprobateur. Ce que tu racontes n'a pas de sens.

— Je sais.

J'ai inspiré profondément, le torse incliné sur les genoux.

— C'est insensé. Je n'arrive pas à y voir clair moi-même.

— Commence par le commencement…, a dit mon père, en s'interrompant brusquement en voyant ma mère bondir et couiner d'excitation.

— REGARDEZ! s'est-elle écriée en agitant la main. Voici le char de Kristyn!

Mon père a soulevé ma petite sœur sur ses épaules, les yeux fixés sur le camion d'une tonne qui avançait lentement et dont le plateau supportait un truc ressemblant à une mangeoire scintillante.

— Mais maman, papa…, ai-je dit, mais ils ne m'écoutaient pas.

Il me faudrait attendre que le char de Kristyn soit passé pour réclamer leur attention, mais j'ai supposé que quelques minutes de plus ou de moins ne me feraient pas mourir. J'ai donc étiré le cou pour regarder le char moi aussi. Kristyn avait beau être « l'Emmerdeuse », elle n'en demeurait pas moins ma sœur et c'était tout de même bien qu'on l'ait invitée à participer au défilé de cette année. J'ai décidé de l'acclamer.

— Où est-elle? Je ne la vois pas, disait ma mère. Lequel de ces anges est Kristyn?

— Je n'y arrive pas non plus, ils gigotent trop, a grommelé mon père.

Avec mes lunettes, je ne la voyais pas non plus. Je les ai donc retirées, attendant que le vertige passe avant de regarder au loin. La « Mangeoire » mettait en scène les Rois mages, des animaux de basse-cour et des anges souriant et agitant la main. Plus je regardais, plus je distinguais les détails. L'un des Rois mages frottait l'une contre l'autre ses mains rougies et rugueuses pour les réchauffer. Et la personne occupant l'avant-train de la vache s'est brusquement écartée de celle tenant le poste de l'arrière-train lorsque le char a cahoté.

J'ai fait le point sur les anges. Il y en avait cinq, mais un seul avec une longue chevelure sombre. Ses ailes dorées étincelaient de lumières blanches et sa peau luisait de peinture pour le corps argentée.

Mais la fille avait les yeux bleus et la peau claire.

Ce n'était pas ma sœur.

Où ÉTAIT Kristyn ?

Une pensée terrifiante m'a traversé l'esprit. Eleanor/Geneva avait déclaré en avoir appris assez en trois entretiens seulement. J'avais cru qu'elle parlait de moi — mais peut-être pas.

Le seul signe indiquant que j'étais un clone était le tatouage sur ma cheville : celui-là même que Kristyn avait fait reproduire sur sa cheville. Et si Geneva avait vu la cheville de Kristyn ?

Et je me suis souvenu d'un autre truc. Lorsque Geneva avait ordonné à Mitch de porter les bagages à la voiture, elle avait précisé qu'ils ne pouvaient pas utiliser le coffre.

Mais pourquoi ne pouvaient-ils pas utiliser le coffre ?

Renfermait-il déjà quelque chose… ou QUELQU'UN ?

CHAPITRE 11

Mes parents ont vite compris que Kristyn n'était pas sur le char. Et ils ont été stupéfaits d'apprendre de la bouche d'une de ses amies qu'elle ne s'était pas présentée à la répétition.

— Mais nous l'y avons conduite et l'avons regardée se diriger vers le char, s'est écriée ma mère qui n'arrivait pas à y croire. Comment a-t-elle pu disparaître?

— Peut-être que l'idée de s'exposer à une foule l'a rendue nerveuse, a avancé mon père.

— Il est question de Kristyn, là. Elle ADORE les foules. Elle ne parle que de cela, jouer un ange sur le char, depuis des semaines. Rien n'aurait pu lui faire rater une telle occasion.

La voix de ma mère s'est brisée et elle a dû prendre appui sur mon père.

— Ne t'en fais pas. Nous allons la retrouver, l'a rassurée mon père d'un ton confiant démenti par son regard affolé.

L'estomac noué par la peur, j'ai revu en esprit la voiture grise s'éloigner — son grand coffre bien fermé.

Y avait-on dissimulé Kristyn?

— Maman, papa, il faut que je vous dise un truc.

Lorsque je leur ai raconté qu'Eleanor Corvit était en fait Geneva Victor sous une fausse apparence, leur stupéfaction s'est muée en frayeur. Les larmes aux yeux, mon père est allé téléphoner à la police. Ma mère, refusant de croire que Kristyn était en danger, s'est élancée à sa recherche dans la foule.

J'ai cherché avec ma mère, demandant à des amis et à des inconnus s'ils avaient vu Kristyn. Mais personne n'avait vu ma sœur. Autour de nous, le défilé se poursuivait avec ses fanfares interprétant des chants de Noël, ses clowns agitant des ballons et ses chars illuminés éclairant la nuit.

— Elle DOIT bien être quelque part, répétait ma mère en se passant la main dans ses cheveux d'un blond sombre.

— Bien sûr, maman. Continuons de la chercher.

— Il ne faut pas renoncer, Eric.

— D'accord. Allons là où vous l'avez déposée, à l'école. Elle nous y attend peut-être.

— Oui… oui ! Tu crois vraiment ? a demandé ma mère pleine d'espoir.

— Ça vaut le coup d'essayer.

Nous nous sommes donc hâtés vers l'école, laissant derrière nous le défilé dont le tintamarre s'est graduellement assourdi. Le fond de l'air était froid, les mains et les oreilles me picotaient, mais je m'en moquais. Je ne souhaitais qu'une chose, c'est que Kristyn soit à l'école.

Mais, au fond de moi, je savais que ma sœur avait été enlevée.

Varina, Chase et Allison m'avaient averti que le fait de rester avec ma famille risquait de l'exposer au danger. Mais je me sentais en sécurité auprès de mes parents et j'avais la conviction qu'ensemble nous étions invulnérables.

Je m'étais trompé.

Et voici que Kristyn avait disparu.

Nous sommes arrivés à l'école, où quelques voitures étaient garées, mais il n'y avait pas personne. Ma mère s'est élancée vers le coin de pelouse où Kristyn devait se rendre en vue de la répétition.

Je suis resté derrière, fouillant du regard les édifices enguirlandés, les trottoirs désertés et les grands arbres. Le seul mouvement était celui des ombres mouvantes et des branches agitées par la brise. Désireux de savoir s'il se cachait quelque chose derrière les ombres, j'ai retiré mes lunettes.

J'ai battu des paupières jusqu'à ce que ma vision s'ajuste, puis j'ai de nouveau examiné les environs que je voyais maintenant d'un tout autre œil. Mon regard plongeait à l'intérieur des guirlandes lumineuses suspendues tout le long des édifices et dans les fissures des trottoirs.

Tandis que ma mère continuait d'appeler ma sœur, j'ai scruté les recoins obscurs près des murs, des arbres, des ombres. Dans un premier temps, je n'ai rien vu d'inhabituel, puis j'ai distingué un truc scintillant.

— Maman! me suis-je écrié en m'élançant vers un bosquet touffu. Par ici!

La tête me tournait et j'ai failli trébucher lorsque le trottoir s'est enfoncé dans la pelouse humide. J'ai remis mes lunettes, renonçant à ma vision perçante et m'obligeant à regarder droit devant moi. Lorsque j'ai atteint les arbres, j'ai plongé sous l'arche formée par deux branches inclinées jusqu'à ce que je découvre l'objet scintillant.

J'ai hoqueté d'horreur.

Non ! Ce n'était pas… mais, oui, ce l'était. Parmi les feuilles et les brins d'herbe, il y avait des morceaux de verre coloré, des paillettes dorées dispersées comme des confettis et une grande aile en fil de fer toute tordue.

L'aile brisée était celle que devait porter Kristyn.

CHAPITRE 12

Quelques heures plus tard, les policiers passaient le site de l'école au peigne fin et la photo de Kristyn brillait sur les écrans de télé. On parlait de la « possibilité d'un enlèvement » — des termes terrifiants. Mais au lieu de diffuser la photo de Geneva Victor, on montrait celle réalisée par un illustrateur d'une « Eleanor Corvit » grisonnante, rondouillette et ridée, que l'on qualifiait de témoin éventuel.

— Mais c'est faux ! Eleanor Corvit n'existe pas ! ai-je dit d'une voix pressante à mon père dans le hall d'entrée de notre demeure après le départ des policiers. Pourquoi n'as-tu pas dit aux policiers qui elle est en réalité ?

— Parle moins fort, Eric, a répondu mon père, un doigt posé sur les lèvres, en jetant un coup d'œil vers les chambres. Je ne veux pas que tes sœurs et tes frères entendent. J'essaie uniquement de te protéger.

— Protège Kristyn. C'est elle qui est en danger. Les policiers doivent savoir qu'Eleanor est en réalité Geneva.

— Eric a raison, a déclaré ma mère depuis le divan où elle pleurait doucement en essuyant ses larmes. Nous devons dire toute la vérité. Sinon, il se pourrait que… il se pourrait que nous ne revoyions plus jamais Kristyn…

Les épaules de ma mère ont tressauté et elle a de nouveau enfoui son visage dans un coussin.

Mon père a pressé ses mains l'une contre l'autre, la mine grave et déchirante.

— Nous ne pouvons pas rendre public le passé d'Eric.

— Ne te fais pas de souci pour moi, lui ai-je dit.

— Je ne peux pas m'empêcher de me faire du souci, et avec raison, a rétorqué mon père en m'adressant un regard sévère. As-tu la moindre idée de ce qui se produirait si les gens découvraient que tu es un clone ?

— Ça n'a pas d'importance, ai-je déclaré en me penchant pour tapoter Renegade, fidèlement assis à mes côtés.

— Les médias te traqueraient, prendraient des photos et inventeraient des histoires insensées. Tu ne pourrais plus fréquenter l'école, ni même aller à l'épicerie. Partout, les gens t'examineraient, se poseraient des questions, se méfieraient, auraient peur.

— Ils auraient peur de quoi? ai-je voulu savoir.

— De toi, fiston, a répondu mon père avant de m'entourer de son bras et de m'étreindre avec force. Pour la plupart des gens, toute personne différente constitue une menace. Et être un clone est une sacrée différence. Tu ne pourrais plus mener une vie normale. Les gens pourraient même s'imaginer que tu possèdes des pouvoirs spéciaux.

— Ouais, ai-je dit en touchant mes lunettes et en me félicitant de ne pas avoir parlé de mes expériences visuelles. Pourtant, je suis bien ordinaire.

— Et c'est ce que je souhaite, a fermement déclaré mon père. C'est pourquoi nous ne pouvons laisser personne découvrir ton origine.

— Mais Kristyn? s'est enquise ma mère. Mentir ne facilitera pas le travail des policiers.

— Ils devraient réussir à retrouver la voiture grâce au numéro de la plaque, a fait remarquer mon père.

— Et s'ils n'y arrivent pas? a rétorqué ma mère.

Les traits creusés, mon père s'est affaissé dans un fauteuil, et son corps robuste a semblé plus frêle, vulnérable.

— Je n'ai pas de réponse. C'est déjà terrible qu'un de nos enfants manque à l'appel. Je ne peux pas exposer également Eric à ce danger.

— Mais si c'est la seule façon de retrouver Kristyn! s'est écriée ma mère avec une fureur que je ne lui avais jamais vue.

Mes parents ne se disputaient JAMAIS.

— Je suis navré, ma chérie, a répondu mon père en entourant ma mère de son bras, mais elle s'est dégagée.

— Alors, laisse Eric tout raconter aux policiers! s'est emportée ma mère. Fais tout ce qu'il faut pour retrouver Kristyn.

— Je ne peux pas, a déclaré mon père, le front plissé, en secouant la tête. J'en suis tout bonnement incapable.

— Dans ce cas, je n'ai plus rien à te dire!

Ma mère a jailli du divan, s'est ruée dans le couloir et a claqué la porte de sa chambre avec une force qui a fait trembler les photos de famille sur les murs.

Mon père s'est affaissé encore davantage dans le fauteuil, a poussé un gémissement angoissé et a enfoui son visage dans ses mains. Le gaillard robuste, fort, qui était mon modèle depuis toujours, n'était plus qu'un homme meurtri, brisé.

C'était un spectacle que je ne supportais pas.

Ma faute. Tout était ma faute.

Puisque mon père ne voulait pas que je me montre honnête envers les policiers, il me fallait trouver une autre façon de secourir Kristyn. Je ne savais pas trop comment, mais je connaissais quelqu'un capable de me conseiller.

J'ai donc sorti le bout de papier avec un numéro de téléphone que j'avais encore dans ma poche, je me suis rendu au téléphone et j'ai composé le numéro.

CHAPITRE 13

— Eric? s'est exclamée Allison au bout du fil. C'est vraiment toi? Je suis SI heureuse de t'entendre. Mais il est plus de minuit chez toi. N'est-ce pas un peu tard?

— C'est tard, en effet, ai-je répondu gravement. J'espère juste qu'il n'est pas TROP tard.

— Ça ne va pas?

— Ouais.

— Tu as des ennuis?

— Pas moi. Ma sœur... Kristyn.

J'ai inspiré profondément, puis j'ai lentement relaté à Allison les terribles événements. C'était bon d'en parler à quelqu'un qui comprenait vraiment.

— Pauvre Kristyn! s'est écriée Allison qui pleurait doucement. C'est horrible!

— C'est à cause de moi, tout ça.

— Ce n'est pas ta faute, Eric.

— Kristyn a été enlevée parce qu'elle s'était fait reproduire mon tatouage.

— Mais un tatouage en soi ne constitue pas une preuve suffisante, a fait remarquer Allison. Il doit y avoir autre chose. De quoi a l'air Kristyn?

— Elle est jolie, je suppose. Elle a quinze ans, comme moi, et est presque aussi grande que toi. Elle a du sang asiatique, de longs cheveux noirs et des yeux sombres.

— Oh non! s'est exclamée Allison. Ça explique tout.

— Quoi?

— J'ai vu une photo de Sandee Yoon, elle a de longs cheveux noirs, des yeux noirs et le teint doré. Ils ont enlevé Kristyn parce qu'ils l'ont prise pour Sandee.

— Le clone manquant? ai-je demandé, étonné de ne pas y avoir songé.

— Ça se tient. Geneva et son complice ont découvert que l'un des clones se trouvait au Texas. Ils ont peut-être retracé les cartes de crédit ou les billets d'avion signalant notre passage chez vous. Ils étaient au courant pour Chase, Varina et moi, mais après l'arrestation de Victor, ils ne pouvaient pas courir le risque de nous poursuivre. Ils se sont donc lancés à ta recherche et à celle de Sandee.

— Et lorsqu'ils ont vu le tatouage sur la cheville de Kristyn, ils en ont tiré la mauvaise conclusion, ai-je achevé, me sentant encore plus coupable. Kristyn n'aurait pas ce tatouage si elle ne s'efforçait pas tant de me ressembler. Elle m'admire sincèrement. Et moi, au lieu d'être gentil avec elle, je l'engueulais.

— Les frères engueulent leurs sœurs. C'est normal.

— Mais je ne suis PAS normal, me suis-je écrié. Et toi, Varina, Chase et Sandee, vous ne l'êtes pas non plus. C'est la cause de tous ces ennuis. Si je n'étais pas son frère, à l'heure qu'il est, Kristyn dormirait dans son lit.

— Cesse de t'apitoyer sur ton sort et trouvons le moyen de retrouver ta sœur.

— Je ne peux pas parler de Geneva Victor aux policiers sans révéler que je suis un clone.

— Alors, tu as une idée de ce que tu peux faire?

— Retrouver Kristyn moi-même, ai-je répondu d'une voix ferme, l'idée me venant soudainement à l'esprit et constituant, je le savais, la meilleure solution. C'est moi qui ai mis Kristyn dans ce pétrin, c'est donc à moi de l'en sortir.

— Le fait d'avoir une vision exceptionnelle ne fait pas de toi un superhéros, pas plus que ma force ne fait de moi une superhéroïne.

— Je sais, mais je dois retrouver Kristyn avant qu'une catastrophe se produise.

— Alors, laisse-moi t'aider. De même que Varina et Chase. Nous serons en quelque sorte des clones chevaliers, a-t-elle ajouté avec un rire moqueur.

— Ce n'est pas évident de former une troupe de chevaliers avec toi en Californie et moi au Texas.

— C'est sûr. En plus, on ignore où sont Geneva et ce Mitch. Si ça se trouve, ils sont à l'extérieur du pays.

— Ça m'étonnerait, ai-je dit.

— Pourquoi?

— D'une part, Geneva possède un permis de conduire émis en Californie, d'autre part j'ai découvert un truc intéressant pendant que j'étais planqué dans sa chambre.

— Lorsque tu as vu ce qu'il y avait à l'intérieur de son sac? a demandé Allison.

— Avant, ai-je rétorqué. J'avais en main un indice, mais je ne le savais pas à ce moment-là. Et cet indice pourrait BIEN me conduire à Kristyn.

CHAPITRE 14

Cette nuit-là, au lieu de dormir, j'ai lancé une recherche dans le cyberespace.

Mes frères avaient le sommeil lourd, ils n'ont donc pas bronché lorsque j'ai allumé l'ordinateur. Certains des renseignements dont j'avais besoin exigeaient un peu de « piratage ». Je n'étais pas de ces pirates informatiques capables de violer des mots de passe et de s'introduire dans des dossiers confidentiels, mais j'avais des amis qui l'étaient. L'un d'eux, un cyber copain surnommé Sam (j'ignorais son nom véritable et son lieu de résidence) me devait une faveur depuis que je l'avais aidé à accéder au niveau 12 du jeu de rôle *Moon Invaders*. Donc, la première étape de mon plan consistait à lui envoyer un appel au secours lui demandant de dénicher des renseignements sur les Victor et Mitch Crouch.

Comme Sam pouvait tout aussi bien mettre quelques minutes ou quelques heures à me répondre, j'ai lancé un moteur de recherche et tapé les mots « Pacific Soles ».

Eleanor Corvit avait déclaré venir de New York, mais Geneva Victor s'était procuré les chaussures argentées dans une boutique située près du Pacifique et son permis indiquait une adresse postale de Monterey. Si les Victor étaient aussi riches que le prétendait Varina, ils possédaient sans doute plusieurs résidences et propriétés, et j'étais prêt à parier que l'une d'elles se trouvait à Monterey. Plus j'en saurais, plus je me rapprocherais de ma sœur.

Ma sœur. Frappé par l'horreur de la situation, j'ai prié le ciel de veiller sur elle. J'étais pratiquement certain que Geneva ne lui ferait pas de mal. Pas tout de suite, du moins. Geneva amènerait Kristyn dans un endroit retiré où elle pourrait se livrer à des expériences. À l'aide de scalpels, de seringues et de drogues innommables. J'ai tressailli. Kristyn avait passé le plus clair de son existence, dans les hôpitaux, à subir des traitements de chimiothérapie. Elle avait survécu à la leucémie. Mais survivrait-elle à CECI ?

L'ordinateur a ronronné un moment, puis a affiché trois correspondances pour Pacific Soles. L'une était un article d'un journal de Monterey clamant «Ayez l'élégance d'autrefois grâce à la boutique de chaussures la plus courue d'aujourd'hui». Les deux autres renvoyaient au site de «Pacific Soles, les chaussures qui ont de l'âme».

En quelques clics, je me suis rendu sur le site, dédaignant les photos de chaussures pour me concentrer sur l'adresse qui indiquait que la boutique était située tout près du centre de Monterey.

— Hourra! Je le savais! ai-je murmuré en lançant les bras en l'air.

Puis, j'ai noté l'adresse et le numéro de téléphone sur un papillon adhésif. Un des commis connaissait sûrement Geneva. Elle empruntait peut-être une autre identité qu'il me restait encore à découvrir.

Puis, je me suis rendu sur le site de l'émission *De vraies familles*, que j'avais enregistré dans mes favoris, et j'ai également noté l'adresse et le numéro de téléphone. C'était sans doute un coup d'épée dans l'eau, un lien inventé de toutes pièces, mais je ne devais rien laisser au hasard.

J'ai ensuite eu recours à un moteur de recherche de personnes que j'ai alimenté de diverses combinaisons : Geneva Victor, Dr Mansfield Victor, Eleanor Corvit, Mitch Crouch, Geneva Corvit, Mitchell Crouch, et d'autres encore plus délirantes comme Geneva Mansfield, Eleanor Crouch ou Dr Victor Mansfield. J'ai tenté tout ce que je pouvais imaginer, ce qui m'a mené à passer les heures suivantes à scruter des listes farfelues pour ne recueillir au bout du compte que très peu de données fiables.

Lorsque le soleil s'est glissé par la fenêtre, me faisant cligner des yeux et bâiller, de multiples fragments d'information s'entrechoquaient dans ma tête comme les pièces de plusieurs puzzles dépareillés.

Je savais que Geneva Victor avait fait des courses dans une boutique « tout près » de Monterey, en Californie. J'avais mis la main sur quelques articles relatant « un incident avec une arme à feu » impliquant « une adolescente dont on ne peut dévoiler le nom », de même que sur quelques articles mentionnant des événements de nature caritative auxquels les Victor avaient assisté à Los Angeles, à St. Louis et à Chicago. Celui de Chicago avait eu lieu deux semaines après « l'incident avec une arme à feu » impliquant Varina. Manifestement, Victor n'était

PAS en prison. Mais cela ne me révélait pas où il se trouvait maintenant ni pour quelle raison sa femme se faisait passer pour une femme âgée.

La tête m'élançait et les yeux me brûlaient. Je me suis renversé dans mon fauteuil et ai fermé les yeux, histoire de me reposer une minute.

J'ai dû m'assoupir. Je n'ai pas eu conscience que le temps passait, mais soudain, on m'a secoué et je suis tombé à la renverse…

BING BANG! Je me suis retrouvé par terre, les quatre fers en l'air. Et j'ai entendu dans mon dos des ricanements familiers. Mes frères étaient réveillés et se comportaient en imbéciles comme d'habitude.

— Tu bavais dans ton sommeil, Eric, s'est moqué Marcos.

— Il n'y a que les fanas d'informatique pour s'endormir devant leur ordinateur, a henni Larry Joe en poussant son fauteuil roulant vers la vaste penderie.

Je me suis redressé, la mine renfrognée.

— Je cherchais des renseignements dans le but de secourir Kristyn.

Mes frères ont ravalé leur sourire sur-le-champ.

— Kristyn n'est toujours pas revenue? a demandé Marcos.

— J'espérais qu'elle serait de retour, a dit Larry Joe dont les larges épaules se sont affaissées dans le fauteuil.

J'ai tristement secoué la tête.

Leur tournant le dos, j'ai attrapé la souris et suis allé vérifier ma messagerie électronique. J'avais reçu cinq messages pendant mon sommeil : trois du serveur de mon jeu de rôle, un pourriel m'expliquant comment devenir millionnaire et un message de Sam.

J'ai cliqué sur le message de Sam et j'ai lu :

HÉ, RIC — DRÔLE DE DEMANDE, MAIS JE M'Y METS. AI AIGUISÉ MES CYBERS GRIFFES ET ENDOSSÉ MA DÉFROQUE DE PIRATE. AVOUE ÊTRE CURIEUX, MAIS C'EST TON AFFAIRE, MEC. SAM.

Aucun résultat pour l'instant, mais je pouvais compter sur Sam. Il découvrirait des renseignements financiers, professionnels et légaux sur les Victor et sur Mitch Crouch. Je n'avais plus qu'à attendre.

Malheureusement, attendre semblait être la règle chez nous.

J'ai trouvé mon père dans la salle à manger en train de servir des céréales à mes deux frères cadets, mais aucun signe de ma mère. Zut. Ou bien ma mère était trop bouleversée pour quitter sa chambre, ou bien elle et mon père se boudaient encore.

D'ordinaire, le dimanche, toute la famille se rendait à l'église, mais mon père a déclaré que nous n'irions pas aujourd'hui. Nous devions rester près du téléphone au cas où nous aurions des nouvelles de Kristyn.

Aussi, lorsque le téléphone a sonné, nous avons tous sursauté… avant de nous figer sur place. Puis, mon père s'est rué dans la cuisine et a littéralement arraché le combiné avant la troisième sonnerie.

— Oui ? a-t-il lancé avec brusquerie.

Il y a eu un long et pesant silence pendant qu'il écoutait. Il a ensuite interrogé :

— Vous avez trouvé la voiture ?

Je n'ai pas douté une seconde qu'il était question de la voiture de location grise. Je me suis approché de mon père pour mieux entendre.

— Et ma fille ?… Je vois… Mais ne pourriez-vous pas… ? Oh, c'est fait… Et les empreintes ?

La main de mon père était si crispée sur l'appareil que ses jointures étaient blanches comme de la craie.

— Oui, je comprends. Mais vous devez en faire davantage… Bien…

Mon père a essuyé la sueur sur ses sourcils et a semblé réfléchir à toute vitesse.

— Bon, vous devriez enquêter sur une femme.

Stupéfait, j'ai retenu mon souffle.

Mon père a enchaîné :

— Elle s'appelle Geneva Victor.

J'ai hoqueté. Que faisait-il ? Allait-il révéler mes origines ?

— Non, inspecteur Peters, a fait mon père en secouant la tête. Je ne connais pas cette femme, mais il se peut qu'elle ait vu quelque chose... Oui, peut-être un témoin... Vous le ferez ? Ce serait formidable. Merci.

Il a raccroché et a poussé un soupir tremblotant.

— J'ai décidé qu'il n'y avait pas de mal à mentionner le nom de cette femme, a-t-il reconnu.

— Je suis content que tu l'aies fait, lui ai-je dit.

— Ton secret sera gardé, m'a-t-il assuré. Personne n'a besoin de savoir POURQUOI cette femme est venue ici.

— Je ne m'en fais pas, ai-je affirmé en m'efforçant de paraître confiant. Ont-ils trouvé la voiture grise ?

— Ouais. À l'extérieur de la ville, vide. Il y a des traces d'une autre voiture, sinon c'est l'impasse.

— Geneva a changé de voiture, ai-je grommelé avec colère. Ce sera plus compliqué de la retrouver.

— Les policiers croient qu'elle se dirige vers New York, à cause de l'émission pour laquelle elle est censée travailler.

— Mais ils sont dans l'erreur !

— Nous devons leur faire confiance, a fait mon père, et sa voix s'est brisée. Ils font de leur mieux pour la retrouver. C'est notre unique espoir…

— Non, ça ne l'est pas, ai-je déclaré en secouant vigoureusement la tête. Ils ignorent pourquoi Kristyn a été enlevée, mais moi, je le sais. Je suis celui qui peut retrouver Kristyn.

— Comment ? a-t-il demandé avec scepticisme.

— J'ai parlé à Allison, et…

— Allison ? a coupé mon père en clignant des yeux d'un air perplexe. Qui ? Oh… la blonde… l'une d'EUX.

Si j'avais été moins épuisé et moins inquiet, j'aurais fait remarquer à mon père que j'étais également « l'un d'EUX ». Mais je me suis contenté de lui exposer mon plan.

— Je crois qu'ils vont emmener Kristyn en Californie. Peut-être à Monterey. Et je veux m'y rendre pour tenter de la retrouver.

— En Californie? s'est écrié mon père en manquant renverser une boîte de céréales. Tu ne parles pas sérieusement!

— Oui. Très sérieusement.

— Et comment envisages-tu t'y rendre? a-t-il interrogé sur un ton sarcastique. C'est toute une trotte, et tu es trop jeune pour conduire.

— En avion, ai-je répondu en serrant les mains. Allison m'a proposé de me réserver un billet.

— Tu ne laisseras PAS cette fille payer ton billet. C'est hors de question.

— Je dois y aller, ai-je déclaré en croisant les bras et en serrant les lèvres. Et tu n'arriveras pas à me faire changer d'avis.

— Et comment que je le peux!

Les yeux bleus de mon père étincelaient, comme si toute sa frayeur s'était muée en une profonde colère, dirigée vers moi.

— Tu n'iras nulle part, si ce n'est dans ta chambre. Tu y resteras jusqu'à ce que je t'autorise à en sortir. Et ne fais plus d'appels interurbains sans permission!

— Mais tu ne vois pas…

— Ce que je vois, c'est que tu défies ton père, et je ne le tolérerai pas. Va dans ta chambre.

J'ai rentré les épaules.

Puis, j'ai tourné les yeux et suis allé dans ma chambre.

CHAPITRE 15

J'avais échoué avant même d'avoir pu tenter ma
chance. Pire encore — je n'avais même plus le
droit de téléphoner à Allison sans l'autorisation
de mon père.

Je suis donc retourné à mon ordinateur.

Pas de nouveau message de Sam. Profondément découragé, sans but, j'ai tué le temps en
éliminant des extraterrestres à coups d'armes
au laser mortelles. J'ai accédé au niveau 23
et sauvé l'empire d'Yurvania, un niveau que
je n'avais jamais atteint, mais je n'en ai retiré
aucun plaisir.

Lorsque j'ai de nouveau vérifié ma messagerie électronique, j'y ai enfin trouvé un message
de Sam.

— OUAIS! me suis-je écrié en l'ouvrant.

HÉ, RIC — RIEN SUR MITCH CROUCH, MAIS
CE VICTOR EST UN MEC CONNU. $ $ $ ET UN
TAS D'ARTICLES CASSE-PIEDS DANS DES TRUCS
CHIANTS POUR MÉDECINS. PLUS UN GENRE DE
SCANDALE AVEC UNE ADO, MAIS IL A SORTI DE
SA MANCHE UNE CARTE « VOUS ÊTES LIBÉRÉ DE
PRISON ». J'AI TROUVÉ LA LISTE DE PROPRIÉTÉS
QUE TU VOULAIS, MAIS RIEN À MONTEREY. PLUS
UN TAS DE MACHINS DE CHARITÉ AUXQUELS
G.V. A ASSISTÉ, VOIR FICHIERS JOINTS. SAM.

J'ai cliqué sur les fichiers joints et j'ai trouvé
des coupures de presse sur des événements
caritatifs, dont l'une montrait Geneva et le
docteur Victor, tout sourire. J'ai immédiatement
reconnu Geneva, avec ses courts cheveux noirs
à la coupe sophistiquée, son sourire charmeur et
son menton résolument dressé. Mais Victor m'a
étonné. Il était nettement plus âgé que Geneva,
assez pour être son père plutôt que son mari. Il
était de type latin, chauve, portait des lunettes,
semblait affable, inoffensif. Évidemment, je
savais qu'il n'en était rien…

J'ai ouvert le second fichier. La liste des
propriétés des Victor. Elles étaient situées en
Californie, mais comme Sam le précisait, rien
à Monterey. Zut. J'ai quand même examiné les
trois inscriptions :

1. Cinquante-cinq acres, investissement, Red Bluff
2. Appartement de trois chambres, San Jose
3. Copropriété, en location, Pacific Grove

En voyant la troisième inscription, j'ai eu un mouvement d'excitation. Et une rapide vérification sur la carte est venue confirmer mon intuition. La copropriété de Pacific Grove était située « tout près de Monterey », pour reprendre les mots de la publicité de Pacific Soles.

Je me rapprochais. Kristyn était en route vers la Californie, à moins qu'elle n'y soit déjà. Je le sentais. C'était renversant, la quantité de renseignements qu'on pouvait dénicher dans le cyberespace. Être cloîtré dans ma chambre n'était pas tout à fait la punition que mon père avait escomptée.

Les deux fichiers suivants reprenaient des articles scientifiques rédigés par le docteur Mansfield Victor : *Éthique et culture artificielle des organes humains* et *Des gènes sur mesure : profit ou progrès ?* Les deux sujets, attestant un intérêt évident pour le clonage génétique, m'ont donné la chair de poule.

La lecture des articles n'a fait qu'accentuer mon malaise. Le point de vue extrêmement clinique de Victor s'appuyait sur des motifs scientifiques pour justifier la poursuite des recherches, mais tenait très peu compte du facteur humain. Il insistait sur la nécessité de sélectionner avec soin des donneurs de gènes compatibles et exposait les bénéfices médicaux découlant de la culture de foies, de poumons et de peau artificiels. Il concluait en louant les avancées dues à ses propres recherches et en laissant entendre qu'il rendrait bientôt publiques des découvertes renversantes.

J'espérais ne pas figurer parmi ses « découvertes renversantes ». Il était hors de question que ce dément conduise des expériences sur ma personne. Et je n'allais pas non plus leur permettre, à lui et à sa femme, de faire du mal à Kristyn. Mais il me fallait d'abord retrouver Kristyn…

J'ai entendu le téléphone sonner à l'extérieur de ma chambre.

Mes mains, suspendues au-dessus du clavier, sont restées en l'air, et, sans une hésitation, j'ai bondi sur mes pieds et me suis rué hors de ma chambre. Qui était au bout du fil ? Était-ce au sujet de Kristyn ? Ou peut-être était-ce Allison qui me rappelait ?

Dès que je suis entré dans la cuisine, j'ai compris, à la tension dans les épaules de mon père et au ton sourd de sa voix, qu'il discutait avec l'inspecteur Peters. Et que les nouvelles n'étaient pas bonnes.

— … Mais cela ne peut pas être vrai, disait-il gravement. On m'a dit qu'elle était venue en ville… Vous êtes certain ?

Mon père a froncé les sourcils.

— Enfin, je suppose que j'étais dans l'erreur. Ouais… Je vous prie de nous tenir au courant. Merci pour tout.

Mon père a reposé le combiné, s'est essuyé les yeux, s'est lentement retourné et m'a aperçu. Le froncement de ses sourcils s'est creusé.

— Comment se fait-il que tu ne sois plus dans ta chambre ?

— J'ai entendu la sonnerie, ai-je expliqué avant de me mordre les lèvres et de demander d'une voix douce : Que se passe-t-il ? Ils n'ont pas retrouvé Geneva Victor ?

— Oh, ils l'ont bel et bien retrouvée, a-t-il répondu avec fureur. Elle et son mari sont en vacances à Mexico depuis une semaine.

— Faux ! me suis-je écrié. Mais je l'ai vue. Elle était ICI !

— Tu t'es trompé, a-t-il rétorqué en me décochant un regard sévère. Et j'en ai assez de tes histoires sans queue ni tête.

— J'ai dit la vérité.

— Ta vérité est contredite par les faits, donc laisse les policiers poursuivre l'enquête.

Mon père a passé ses doigts dans ses cheveux sombres et hirsutes, puis il a enchaîné d'une voix adoucie :

— Eric, je ne voulais pas assouvir ma frustration sur toi. Mais je me sens si impuissant.

— Laisse-moi t'aider, alors.

— La meilleure façon de te montrer utile, c'est de ne pas t'en mêler. Les policiers explorent certaines pistes et le FBI est maintenant de la partie. Les experts retrouveront Kristyn. Nous ne pouvons qu'attendre.

— Mais papa…

— Ça suffit, Eric ! a-t-il tonné en levant la main pour me signifier de me taire. S'il te plaît, retourne dans ta chambre.

J'aurais voulu discuter, mais à quoi bon ? Mon père refusait de me croire, même si j'étais convaincu qu'il avait tort. La meilleure façon de me montrer utile n'était pas de ne pas m'en mêler, c'était de passer à l'action — d'une manière radicale.

J'allais partir à la recherche de Kristyn.

Dès ce soir.

CHAPITRE 16

Mon sac à dos était bourré de vêtements et d'autres trucs essentiels. J'avais enfilé un jean foncé, une chemise noire et une veste en denim bleu marine.

Je me suis glissé hors de la chambre que je partageais avec Marcos et Larry Joe, puis j'ai franchi le couloir et la salle de séjour sur la pointe des pieds, et suis sorti par la porte arrière. Le ciel nocturne se montrait coopératif avec ses grappes de nuages qui voilaient les étoiles et la demi-lune, laissant filtrer juste assez de lumière pour y voir, mais créant suffisamment d'ombres pour s'y dissimuler.

Le plus difficile serait de me rendre à la gare routière. La ville était éloignée, il fallait du temps pour s'y rendre en voiture, encore davantage à pied. Comme je n'avais pas encore de permis de conduire et que je n'avais guère envie de marcher, j'ai pris le parti d'y aller à vélo.

En sortant dans la nuit froide, je me suis félicité de m'être échappé sans être vu. Puis, j'ai entendu un bruissement dans les arbustes et un jappement sonore et enjoué.

« Zut de zut ! ai-je songé en voyant Renegade effectuer des bonds pleins d'entrain à mes côtés. Exactement le genre de soutien dont j'avais besoin ! »

— Ouste, Renegade, ai-je dit à voix basse.

En entendant son nom, le chien a agité la queue et m'a léché la main.

— Non, mon chien, ai-je dit d'une voix que j'espérais ferme. À la niche. Va, Renegade.

Il a jappé et bondi, visiblement convaincu qu'il s'agissait d'un nouveau jeu très amusant.

— La paix, Ren. Tu vas me dénoncer !

Il m'a répondu d'un grand coup de langue baveuse sur ma main et d'un frétillement enthousiaste de la queue. Bon sang, que faire ? Je ne pouvais quand même pas l'emmener.

Avec un gros soupir, je l'ai fermement saisi par le collier. Si je le conduisais à l'intérieur de la maison, il réveillerait mes parents, je n'avais donc d'autres choix que de le boucler dans le garage.

— Désolé, mon chien, ai-je dit en ouvrant la porte du garage et en le poussant à l'intérieur. Je ne peux pas courir le risque que tu me suives.

Renegade a de nouveau agité la queue et léché ma main.

— Je suis sérieux. Tu restes ici.

Il a tenté de filer entre mes jambes, mais je l'ai bloqué.

— On va te faire sortir demain matin. Sois gentil et va dormir.

Puis, j'ai fermé la porte.

Lorsque j'ai tourné les talons, j'ai entendu Renegade gémir, mais je me suis armé de courage. Il irait bien. Je ne pouvais en dire autant de ma sœur. Je me suis croisé les doigts et ai murmuré :

— J'arrive, Kristyn. D'ici là, fais gaffe.

Il FALLAIT que Kristyn soit en Californie. C'était là que menaient le permis de conduire et la copropriété de Pacific Grove. Les Victor avaient trompé les policiers, mais ils ne m'avaient pas trompé, moi. J'étais résolu à retrouver ma sœur… quoi qu'il arrive.

Je me suis donc éloigné du garage pour gagner la petite remise dans laquelle ma mère rangeait ses instruments de jardinage, mon père abritait sa tondeuse et moi, mon vélo.

J'ai agrippé les poignées et débloqué la béquille d'un coup de pied. Au moment où je grimpais sur le vélo, j'ai entendu une brindille craquer dans mon dos.

Avant même que j'aie eu le temps de me retourner, une main aux doigts durs m'a saisi le bras et m'a brutalement tiré en arrière. J'ai perdu pied et je me suis écroulé sur le sol avec mon vélo…

CHAPITRE 17

Los Angeles, Californie

Serena a failli s'effondrer sous le choc !

Ravage, mort ! Cela ne se pouvait pas ! Pourtant, il ne respirait pas, ne remuait pas, et il se TROUVAIT bel et bien dans un cercueil. Il n'y avait pas d'autre explication. La mort n'était pas un numéro de magie — c'était une réalité !

Des larmes ruisselaient sur les joues de Serena, et elle s'est rappelé sa mère adoptive avouant avoir pleuré à la mort d'Elvis. À l'époque, Serena avait jugé pitoyable de pleurer la mort d'un chanteur. Mais, en cet instant, elle comprenait. Ravage était plus qu'un chanteur : c'était l'idole de millions d'admirateurs. Et voilà qu'il ne chanterait plus jamais.

Serena ne pouvait détacher les yeux du corps livide, inerte. C'était vraiment trop affreux. Mais elle devait réfléchir. Un cercueil, un macchabée, un toit désert, cela formait une MAUVAISE combinaison. Il fallait qu'elle sorte de là — VITE.

Laissant brutalement retomber le couvercle, Serena a tourné les talons et s'est hâtée de redescendre l'étroit passage. Mais elle a dû s'arrêter en atteignant cette fichue porte verrouillée. Celle-ci n'était peut-être que coincée, pas verrouillée. Elle a tendu la main, mais avant même qu'elle ne la pose sur la poignée, cette dernière a BOUGÉ !

Sa première pensée a été de se dire qu'elle était sauvée ! Puis, une autre possibilité terrifiante lui a traversé l'esprit.

« Et si la personne qui tournait la poignée était celle qui avait tué Ravage avant de le planquer dans le cercueil ? Un meurtrier ! »

« Je dois filer d'ici tout de suite ! » a songé Serena.

Aussi, sans attendre que la porte s'ouvre, elle a pris ses jambes à son cou sans savoir où aller.

Le toit était vraiment un labyrinthe, fait de tours et de détours. Le bruit de ses pas lui martelait le tympan. Et voici qu'elle entendait un autre bruit de pas : des pas plus lourds, plus rapides et venant vers elle.

Le meurtrier était de retour !

Et il LA poursuivait !

Poussée par la panique, Serena a pressé le pas.

Apercevant un peu plus loin un vaste affleurement doté d'une petite ouverture, elle s'est précipitée vers lui, s'est glissée dans une sorte de tunnel étroit et a foncé en avant.

Elle a perçu, derrière elle, un bruit sourd suivi d'un grognement, comme si son poursuivant avait buté contre quelque chose. Bien ! Elle s'est prise à souhaiter qu'il se soit salement blessé.

Mais le bruit de pas a repris. Haletante, presque à bout de souffle, consciente qu'elle devait s'échapper au plus vite, elle avait toutefois l'impression de tourner en rond. Où était la porte par laquelle elle était arrivée ? Il lui fallait la trouver très VITE — avant que le meurtrier la trouve, ELLE.

En plus de son souffle haletant et du martèlement des pas, elle s'est rendu compte qu'elle percevait un autre bruit : un bourdonnement familier qui faisait vibrer le béton sous ses pieds. L'appareil de conditionnement d'air ! C'est lui qui émettait ce bourdonnement, et elle s'est souvenue d'avoir vu l'énorme appareil près de la porte d'entrée. Elle n'avait qu'à se diriger vers le bruit.

Encore des virages, des passages étroits et des obstacles. Puis, soudain, l'appareil de conditionnement d'air a surgi devant elle, son bourdonnement lui emplissant les oreilles et noyant tous les autres bruits. Elle a plongé derrière l'appareil, mais a brusquement freiné devant un mur compact.

— Non ! Je suis prise au piège ! s'est-elle écriée.

Serena aurait voulu se rouler en boule en sanglotant, mais elle refusait de se rendre. Elle n'entendait plus les pas de son poursuivant, mais elle savait qu'IL était là, qu'il la cherchait. Et s'il la découvrait ? Que se passerait-il ? Serait-elle le prochain cadavre à être planqué dans un cercueil ?

— Je ne serai pas une victime, a-t-elle déclaré à voix haute, envahie par une fureur nouvelle.

Elle s'était juré de ne plus être une victime lorsqu'elle avait quitté le Colorado, l'année précédente. Plus jamais elle ne supporterait une mère adoptive alcoolique qui hurlait et se déchaînait sans avertissement. Plus jamais ne vivrait dans un trou ne lui offrant aucune possibilité de devenir célèbre. Elle s'était fait une nouvelle vie, avait coupé et coloré ses cheveux de manière à paraître cinq ans de plus, s'était forgé une nouvelle identité. Adieu, Sandee Yoon, la perdante. Salut, Serena, la survivante.

Donc, plutôt que de se rouler en boule et en larmes, Serena a cherché le moyen de franchir le mur. Elle pouvait retourner sur ses pas ou le contourner, mais elle pouvait aussi aller vers le HAUT. Elle s'est dressée sur la pointe des pieds, puis a agrippé le sommet du mur. Raffermissant sa prise, elle s'est hissée vers le haut, puis au-dessus du mur, et soudain, elle a vu une issue : LA PORTE.

Sans perdre de temps, elle s'est jetée en avant, a attrapé la poignée, l'a tourné aisément et s'est ruée de l'autre côté de la porte.

OUI !

Jamais une cage d'escalier ne lui avait paru si formidable ! Elle a dévalé les marches deux à la fois, est passée en trombe devant l'appartement du dernier étage, puis devant la porte du dix-septième, ne s'arrêtant qu'en atteignant son propre étage.

Elle s'est engouffrée dans la chambre qu'elle partageait avec Amishka, soulagée au point d'en avoir le vertige.

— J'ai réussi ! s'est-elle écriée, claquant la porte derrière elle avant de s'effondrer sur le lit.

Amishka, assise dans un fauteuil avec la robe perlée rouge sur les genoux, lui a décoché un regard noir.

— Où étais-*tu* passée ?

Serena hésitait à lui raconter son aventure.

— Tu ne me croiras pas si je te le dis.

— Je ne suis pas assez stupide pour gober tes mensonges, a rétorqué Amishka, la mine renfrognée. Tu m'as laissée en plan, tu t'es enfuie sans recoudre cette robe alors que je dois monter sur scène dans quelques heures. Si tu crois que je suis trop dure avec toi, tu n'as qu'à partir.

Serena lui a adressé un regard étonné.

— Oh, Mish ! Je suis navrée de m'être emportée. Enfin, quoi, tu es la meilleure !

— Tu crois ?

— Bien sûr ! Tu as pris soin de moi et je t'en suis reconnaissante. Allez, laisse-moi recoudre cette robe.

— Bon…, a fait Amishka, dont le regard ombré de violet s'est adouci. Tu as raison. Tu n'aurais pas survécu deux minutes si je ne t'avais pas prise sous mon aile. Je me suis toujours bien occupée de toi.

— OUI ! Je te dois tant.

Serena s'est emparée de la robe et a tendu la main vers la trousse de couture, terriblement heureuse d'être encore vivante.

— Et je sais que tu m'aideras à chanter en public en temps voulu.

— Tu as tout pigé, ma petite, a dit Amishka, qui souriait à présent. Je dois admettre que tu as une jolie voix. Presque aussi jolie que la mienne. Un de ces soirs, je dirai à Slam de te donner ta chance.

Soudain, on a frappé à la porte.

— Va ouvrir, Serena, a ordonné Amishka.

Mais Serena s'est figée, saisie de panique, l'aiguille à demi piquée dans la robe. Et si c'était le tueur ?

On a encore frappé ; plus fort, avec insistance, impatience.

— Tu veux me dire pourquoi tu restes assise, Serena ? a soupiré Amishka. Bon ! J'y vais.

— Non… n'y va pas, a murmuré Serena, tremblante.

Mais il était trop tard.

Amishka a saisi la poignée et a ouvert la porte.

Serena a regardé le type blond debout dans la porte, a hurlé « Nooooooon ! » et s'est effondrée, inconsciente, sur le sol.

CHAPITRE 18

— Eric! Où vas-tu comme ça? a demandé mon agresseur dont j'ai immédiatement reconnu la voix.

— Larry Joe!

Je me suis relevé et ai remis mon vélo sur ses roues. Curieusement, je n'avais pas entendu le fauteuil roulant de mon frère s'approcher derrière moi sur les pavés de l'allée.

— Crétin! Qu'est-ce qui t'a pris de te faufiler en douce comme ça?

— C'est plutôt toi qui te faufiles en douce.

— Et après? C'est mon affaire.

— J'en fais MON affaire, a-t-il lancé sèchement. Je me suis douté que tu manigançais quelque chose quand je t'ai vu te glisser en dehors de la chambre. Qu'est-ce qui se passe?

— Rien.

— Tu te comportes bizarrement. Et je vous ai entendus vous disputer, papa et toi.

— Papa est injuste. C'est pourquoi je dois partir.

J'ai rajusté le sac à dos sur mes épaules et ai saisi les poignées du vélo.

— Moi seul peux retrouver Kristyn.

— Tu sais où elle est ? a fait Larry Joe, surpris.

— Pas exactement, mais j'ai des renseignements sur les gens qui l'ont enlevée.

— Ceux qui sont venus te voir le mois dernier ?

— Pas du tout ! Allison, Varina et Chase sont mes amis. Si j'ai besoin qu'on m'aide à retrouver Kristyn, ils seront là.

— Mais comment sais-tu qui a enlevé Kristyn ? a interrogé Larry Joe, en levant sur moi un regard étonné.

— Je ne peux pas le dire, ai-je répondu en serrant les lèvres et en secouant la tête. Et si tu tiens à aider Kristyn, ne me pose plus de questions. Le temps file. Je dois partir.

— À vélo ? a-t-il fait d'un air dubitatif. Tu as peut-être de meilleures jambes que moi, mais tu es loin d'être un athlète. Tu n'iras pas très loin sur un vélo. Où penses-tu te rendre ?

J'ai détourné les yeux, déterminé à ne pas lui faire part de mon plan.

— Eric, tu peux me faire confiance. Il n'y a pas que toi qui aimes Kristyn.

Néanmoins, je n'avais pas l'intention de lui répondre. Je voulais juste que Larry Joe parte. Il risquait de tout faire échouer !

— Je m'en vais, ai-je dit d'un ton glacial en poussant mon vélo vers l'entrée. Et ne va pas tout raconter à maman et à papa.

— Eric, tu es un insupportable crétin. Pourquoi ne me laisses-tu pas t'aider ? a-t-il dit en poussant vigoureusement son fauteuil pour rester à ma hauteur.

— Je n'ai pas besoin d'aide.

— Oui, tu en as besoin, tête de linotte. Tu as besoin d'un moyen de transport plus rapide qu'un vélo. Et je parie que tu n'as même pas songé à l'argent. Tu en as au moins ?

— Bien sûr que oui.

— Combien ? a-t-il insisté, suscitant chez moi le désir d'avoir les nerfs et la force d'effacer son air suffisant d'un bon coup de poing.

— J'en ai assez, ai-je répondu en songeant aux quatre-vingt-quatre dollars et cinquante-cinq cents que j'avais en poche, et j'ai poussé un soupir. Assez pour le trajet en bus… j'espère.

— Eric, tu as besoin de mon aide. Reconnais-le.

— Pas du tout. Je peux y arriver tout seul.

— Non, tu ne peux pas.

Larry Joe a accéléré de manière à se placer devant le vélo et à m'obliger à freiner.

— Et je vais t'aider, que tu veuilles ou non. Cesse donc de discuter et écoute-moi. Voici ce que je vais faire…

Larry Joe était peut-être un crétin, mais un crétin possédant un permis de conduire et pouvant manœuvrer notre fourgonnette fabriquée sur mesure et conçue pour un conducteur handicapé. Il a doucement fait rouler la fourgonnette dans l'entrée, tous feux éteints, puis a allumé ceux-ci lorsque nous avons atteint la route principale.

Et lorsqu'il m'a déposé à la gare routière, il a fait un truc qui m'a sidéré.

— Prends ça, Eric, a-t-il dit en sortant de son portefeuille une poignée de billets verts qu'il m'a tendus.

Cent vingt dollars !

J'ai ouvert la bouche, mais aucun mot n'en a sorti. Autant je trouvais facile de l'injurier, autant il me semblait étrange de le remercier et de le féliciter. Et, comme Larry Joe partageait visiblement mon sentiment, nous nous sommes contentés de hocher la tête.

— Je vais te rembourser, ai-je promis.

— Retrouve Kristyn. C'est le seul remboursement que je désire. Bonne chance, a dit Larry Joe en me frappant l'épaule du poing.

— T'en fais pas.

Je lui ai rendu son coup de poing, puis l'ai salué d'un geste alors qu'il faisait demi-tour et s'éloignait. En le voyant partir, j'ai murmuré :

— Merci.

Puis, je suis allé acheter un aller simple pour la Californie.

CHAPITRE 19

Au matin, je me suis retrouvé pressé contre la glace du bus, me pinçant le nez parce que ma voisine venait de dévisser un flacon de vernis à ongles violet et d'entreprendre de laquer ses griffes EXTRÊMEMENT longues, méritant d'être inscrites au registre des armes mortelles.

J'ai retenu mon souffle et ai fait de mon mieux pour ne pas suffoquer dans les émanations. Dans mon dos, quelqu'un s'est exclamé :

— Qu'est-ce que c'est que cette ODEUR ?

Mais mademoiselle Ongles Pointus a tranquillement continué de se badigeonner les ongles. Inutile de préciser à quel point j'ai été soulagé en la voyant attraper ses sacs à l'arrêt suivant, agiter ses ongles violets en guise de salut et descendre du bus.

Tandis que les passagers se hâtaient vers les toilettes ou allaient se restaurer, j'ai déniché un téléphone public et ai passé deux coups de fil.

J'ai d'abord appelé mes parents. À l'heure qu'il était, ils savaient que j'étais parti et, qu'en plus de sécher mes cours, j'avais désobéi à mon père. J'ai inspiré profondément et me suis blindé contre leur colère.

Comme prévu, la voix de mon père a retenti au bout du fil avec la puissance d'une éruption volcanique. Il m'a ordonné de faire demi-tour et de rentrer immédiatement à la maison, mais j'ai refusé. Je lui ai assuré que j'étais sain et sauf, et lui ai promis de donner régulièrement de mes nouvelles.

Me sentant encore plus mal, mais toujours déterminé à mener mon projet à bien, j'ai supplié mon père de ne pas se lancer à mes trousses. Sans lui laisser le temps de répondre ni oui ni non, ou de me dire de ramener mes fesses à la maison, j'ai raccroché.

J'ai ensuite composé le numéro d'Allison. Mais je suis encore une fois tombé sur son répondeur. Merde, si jamais je me lançais en politique, je ferais adopter une loi interdisant l'usage des répondeurs. Je n'ai même pas pris la peine de laisser un message.

Et le bus a roulé… roulé… roulé.

J'ai dormi presque tout le temps, rompu de fatigue et d'anxiété. J'ai rêvé que je voyais Kristyn ligotée à une civière, la bouche bâillonnée d'une bande adhésive, un scalpel suspendu au-dessus d'elle. Puis, la porte s'ouvrait avec fracas et je me ruais à son secours. J'envoyais valser le scalpel du revers de la main, plaquais les méchants au sol, libérais Kristyn et la ramenais à la maison. Kristyn était saine et sauve et je passais pour un héros.

Mais, dans une version moins heureuse de ce rêve, la porte était verrouillée et je n'arrivais pas à l'ouvrir en dépit de tous mes efforts. J'entendais Kristyn m'appeler à son secours encore et encore. Je me suis réveillé en nage et le cœur battant la chamade. J'ai été bien content lorsque le bus a ralenti et s'est arrêté, dans un grincement de freins, à une autre gare.

Une fois de plus, j'ai utilisé un téléphone public, mais une fois de plus, Allison n'a pas répondu. Bien que sachant que je pouvais compter sur elle, je me suis demandé si quelque chose clochait.

Le bus ne reprenant la route que trente minutes plus tard, je suis allé m'acheter de quoi manger. J'avais l'estomac noué par la faim et l'inquiétude. Mais en comptant mon argent, j'ai découvert avec consternation que l'achat du billet d'autocar m'en avait laissé très peu. J'avais très envie d'un sandwich avec salade, d'une grosse portion de frites et d'un soda, mais j'ai dû me contenter d'une petite part de pizza aux pepperonis et d'un verre d'eau.

Puis, retour au bus. J'ai eu de la chance cette fois, personne n'est venu s'asseoir à côté de moi. Avec un bâillement, je me suis allongé, utilisant mon sac à dos en guise d'oreiller et ma veste comme couverture, et j'ai sombré dans un sommeil sans rêves.

La nuit était tombée lorsque j'ai été réveillé par le grincement des freins et le remue-ménage des passagers qui se levaient et récupéraient leurs effets. Je ne savais même plus dans quel État du pays je me trouvais.

Encore une fois, je me suis traîné hors du bus et j'ai trouvé un téléphone public. J'ai composé le numéro d'Allison et suis resté saisi lorsqu'elle a décroché.

— ERIC! s'est-elle écriée. Enfin! Ton père a téléphoné et il était carrément à bout de nerfs. Il est furieux que tu sois parti en courant.

— Je ne suis pas parti en courant, mais je commence à croire que j'aurais avancé plus vite en courant qu'en bus.

— Ce n'est pas drôle, Eric. Où es-tu?

— Je n'en suis pas sûr. En dehors du Texas, en tout cas, ai-je répondu avant de repérer une adresse sur le téléphone. Au Nevada.

— Tu en as encore pour des heures, a-t-elle gémi. Tu aurais dû me laisser te payer un billet d'avion.

— Ce n'était pas nécessaire, ai-je dit, reconnaissant dans ma voix cette fierté propre à la famille de mon père. Je te remercie, Allison, mais ça va. Mais sois là, à mon arrivée à San Francisco.

— J'y serai, même si je dois sécher mes cours.

— Cela te causera des ennuis ?

— Bien sûr ! a-t-elle déclaré en riant. Mais pas plus que d'habitude. Et ma compagne de chambre, Lucia, va me couvrir. Au cas où tu l'ignorerais, je ne suis pas une étudiante exemplaire. Mais ça me va comme ça.

J'ai pouffé, lui enviant son assurance. Elle fonçait dans la vie, sans crainte de trébucher, de tomber ou de commettre une erreur. Allison était génétiquement dotée d'une force exceptionnelle, tant physiquement que moralement.

— À propos, Eric, a continué Allison d'une voix grave. Il y a un truc que tu dois savoir. Je l'ai entendu aux nouvelles.

— Quoi ? ai-je demandé. Ça concerne Kristyn ?

— Pas elle. Le FBI enquête sur Michael Roach.

— Qui ? ai-je fait, ce nom ne me disant rien.

— L'homme impliqué dans l'enlèvement de ta sœur. Il utilise le pseudonyme de Mitch Crouch, mais son vrai nom est Michael Roach.

— Oh, Mitch. Ma première impression était juste. Cette ordure a failli renverser mon chien avec sa voiture. Il a prétendu être désolé. Et j'ai entendu Geneva déclarer qu'il avait fait de la taule.

— Au journal télévisé, on disait qu'il était recherché. Qu'il n'avait pas respecté les termes de sa libération conditionnelle et qu'il s'était enfui après avoir de nouveau commis un crime…

— En plus d'avoir enlevé Kristyn ?

— Ouais, a dit Allison avec hésitation. Un meurtre.

— Mitch a tué quelqu'un ?

J'ai tant serré le téléphone que si j'avais eu la force d'Allison, il se serait rompu en deux.

— Ouais. Cela remonte à quelques semaines. On l'a vu quitter en courant l'appartement de sa petite amie, et on a retrouvé le corps de celle-ci à l'intérieur…

Allison a marqué une pause.

— On lui avait rompu le cou. Désolée, mais il fallait que je te le dise.

Je ne savais pas quoi dire. Je savais que Geneva n'était pas un ange, mais je ne me doutais pas que Mitch était encore pire. Et ces gens-là détenaient ma sœur.

J'ai raccroché après avoir bredouillé que je devais y aller. Je n'arrivais pas à chasser les paroles d'Allison de mon esprit, et le souci que je me faisais pour ma sœur s'est mué en terreur.

J'ai compris que si je ne retrouvais pas bientôt Kristyn, je ne la reverrais pas vivante.

CHAPITRE 20

Los Angeles, Californie

— C'est un fantôme, a marmonné Serena, qui reprenait connaissance en battant des paupières sous l'effet d'une compresse froide sur son visage. Il est mort…

Mais en ouvrant les yeux, Serena a aperçu le visage BIEN vivant de Ravage. Ses cheveux blonds hérissés, ses yeux d'un vert hypnotique et ses lèvres pleines que toutes les filles du monde rêvaient d'embrasser.

— Ça va? s'est-il enquis.

— Je vais bien, mais vous êtes mort, a répondu Serena en secouant la tête. C'est VOUS. Mais cela ne peut pas être vous.

— Habituellement, mes fans se contentent de me demander un autographe, a-t-il déclaré en riant. Ce n'est pas la peine de s'évanouir.

Amishka a gloussé.

— J'aimerais bien avoir un autographe.

Serena continuait d'examiner Ravage. Non seulement était-il vivant, mais il était ICI, dans sa chambre, et Amishka le draguait. C'était trop.

— Je vous prie d'excuser le comportement de mon assistante, a roucoulé Amishka en tendant à Ravage un CD à dédicacer. Serena peut se montrer très dramatique parfois, n'est-ce pas ? Mon prénom s'épelle A-M-I-S-H-K-A.

— Un très joli prénom pour une nana ravissante. Si on se retrouvait quelque part, ce soir, après mon spectacle ?

— Ooooh ! a couiné Amishka, ce qui signifiait manifestement oui. Dites-moi où, j'y vole !

Serena, étourdie, s'est redressée sur le divan.

— Mais j'ai vu votre CADAVRE, a-t-elle bredouillé. Vous étiez dans un cercueil.

Ravage a entouré Amishka de son bras en roulant les yeux.

— Votre copine est défoncée. Vous devriez vous en occuper.

— Oh, bien sûr, a répondu Amishka, hagarde, l'air éperdue d'amour. Plus tard. Pour l'instant, je préfère discuter avec vous.

— Moi aussi. Mais les affaires d'abord, ma biche. C'est pourquoi je suis ici.

— Vraiment ? a répondu Amishka en gonflant sa perruque argentée. De quoi s'agit-il ?

— Je cherche ton copain Slam et on m'a dit qu'il se trouvait peut-être avec toi.

— Slam ? a fait Serena en se frottant le front. Je le cherchais également… C'est alors que j'ai découvert…

Elle s'est tue, si troublée qu'elle n'arrivait plus à réfléchir. Comment Ravage pouvait-il à la fois être mort et vivant ? S'agissait-il d'une mauvaise plaisanterie ?

Elle a examiné son visage et remarqué une cicatrice dentelée sous l'une de ses oreilles. En outre, son nez lui a semblé plus épaté et son menton plus pointu que dans son souvenir.

— Quoi qu'il en soit, a dit Ravage à Amishka, si tu vois Slam, dis-lui que je le cherche.

— Je vais le retrouver pour vous, s'est empressée de proposer Amishka.

— Ce n'est pas nécessaire, a-t-il répondu en agitant les mains. Tu as sûrement beaucoup à faire.

— Pas trop pour VOUS, Ravage.

— Ce n'est pas Ravage, a déclaré Serena, soudainement frappée par l'évidence. Oh, il ressemble à Ravage, mais c'est un imposteur. Tu ne le vois pas, Amishka?

— Serena! a glapi Amishka. Bien sûr qu'il est Ravage. Tout le monde sait cela.

— Ouais. Écoute ton amie.

Allongeant le bras, Ravage (ou celui qui prétendait l'être), a fermement pressé la main de Serena et lui a décoché un regard noir.

— Tu ne sais pas ce que tu dis.

— Oh, oui, je le sais. Je suis montée sur le toit et…

Ravage l'a sèchement tirée vers lui.

— Tout compte fait, j'aimerais bien qu'on m'aide à retrouver Slam. Et tu peux me conduire à lui, ma biche. Amishka, j'espère que cela ne t'ennuie pas que je t'emprunte ton assistante.

— Pas vraiment, mais je préférerais vous accompagner.

— Toi et moi. On a rendez-vous ce soir, a-t-il promis. Je te retrouverai à ce moment-là.

— Lâchez-moi! s'est écriée Serena en tentant de se libérer d'une secousse. Je n'irai PAS avec vous. Amishka, ne le laisse pas m'emmener.

— Serena, cesse de faire l'enfant, veux-tu? a vertement répliqué Amishka, visiblement contrariée de l'attention que Ravage portait à Serena. Si Ravage souhaite que tu l'aides, tu vas l'aider.

— Mais…, a protesté Serena, mais Ravage lui a serré le poignet si fort que ses yeux se sont remplis de larmes.

Il a brutalement ouvert la porte et l'a traînée dans le couloir.

— Lâchez-moi, a-t-elle sangloté. Amishka ! Au secours !

Mais la porte s'était déjà refermée, laissant Serena seule dans le couloir avec un imposteur.

— La ferme, a-t-il grondé en l'entraînant vers l'ascenseur.

— Qui êtes-vous ?

— Ravage.

— Non, vous n'êtes pas Ravage. Mais c'est votre affaire, pas la mienne, et je m'en fiche. Lâchez-moi, je ne raconterai rien à personne.

— Je ne peux pas courir ce risque.

— Je vais hurler si vous ne me lâchez pas.

— Vas-y. Les filles passent leur temps à crier en présence d'une vedette du rock. Il me suffira de déclarer que tu es l'une de ces groupies hystériques.

— Espèce d'ordure ! s'est-elle écriée en pivotant et en se tortillant pour se libérer.

Comme il lui maintenait les bras collés au corps, elle lui a frappé la jambe du pied.

— Aïe ! Arrête ça !

— Seulement si vous me lâchez.

— Pour que tu ailles raconter à tout le monde que je suis mort ? a-t-il agressivement rétorqué. Et si quelqu'un te prenait au mot ? Ferme-la, maintenant, ou je vais m'occuper personnellement de te faire taire.

Serena lui a répondu en lui assénant un coup de pied plus violent qui lui a arraché un gémissement et l'a fait se plier en deux sous l'effet de la douleur.

Serena s'est éloignée de l'ascenseur en courant et s'est élancée vers la cage d'escalier. Ouvrant la porte à la volée, elle s'est ruée à l'intérieur et a grimpé les degrés au pas de course jusqu'au dix-septième étage, où elle espérait trouver refuge auprès de Slam et des membres du groupe. L'écho métallique de ses pas lui a rappelé sa course sur le toit. Mais cette fois, elle connaissait son poursuivant, ou du moins celui qu'il prétendait être.

Curieusement toutefois, elle n'a entendu aucun bruit de pas derrière elle. Elle s'est arrêtée et s'est penchée sur la rampe pour regarder la volée de marches sous elle. Personne.

Où était passé Ravage ? Avait-il renoncé à la poursuivre ? Aurait-elle cette chance ?

En poussant un soupir de soulagement, elle a recommencé à grimper les marches, sans courir, mais sans non plus lambiner. Ses jambes étaient douloureuses et, à force de haleter, la gorge lui brûlait. Heureusement, elle avait toujours bénéficié d'une vigueur exceptionnelle, elle a donc poursuivi son escalade sans s'arrêter avant d'atteindre le dix-septième étage.

En ouvrant la porte marquée d'un « 17 », elle s'est jetée en avant avec une énergie renouvelée — et BANG !

Elle est entrée en collision avec quelqu'un : un inconnu ayant quelques années de plus qu'elle, des cheveux d'un blond presque blanc et des yeux d'un gris-bleu extraordinaire. Elle ne l'avait jamais vu de sa vie, mais ne parvenait toutefois pas à en détacher son regard.

— Navré, a fait le type. Est-ce que je t'ai fait mal ?

— Non, a-t-elle répondu en regardant par-dessus son épaule, craignant que Ravage la rattrape. Mais je dois y aller… je suis pressée…

— Tu as des ennuis ? s'est-il inquiété.

— Rien que je ne puisse régler moi-même.

— Bien. Tu peux peut-être m'aider alors. Je recherche les Fever Pitch. On m'a dit qu'ils se trouvaient à cet étage.

— Ouais. J'y vais justement.

— Tu connais les Fever Pitch?

Elle lui a adressé un bref hochement de tête, tout en jetant un regard nerveux par-dessus son épaule et en descendant le couloir en compagnie du type blond.

— C'est génial, a-t-il répondu avec un sourire qui est venu adoucir ses traits rudes. J'essaie de retrouver une jeune fille qui pourrait les accompagner.

— Peu importe. Accélère, veux-tu. La chambre est au bout du couloir.

Serena a de nouveau regardé derrière elle, mais personne ne les suivait.

— La fille que je cherche est du Colorado, elle a quinze ans et de longs cheveux noirs. Tu la connais peut-être?

— QUOI?

En entendant la description, Serena, saisie, s'est figée sur place et a posé sur lui un regard incrédule.

— Quel est son nom?

— Sandee Yoon.

CHAPITRE 21

— Je vais devoir te faire entrer dans ma chambre en cachette, Eric, m'a déclaré Allison en composant le code de la grille d'entrée pour nous donner accès au site impressionnant du collège privé. Les garçons ne sont pas admis au-delà du rez-de-chaussée. Et ma suite est au second.

— Ta suite ?

— Oh, c'est le nom qu'ils donnent aux chambres. Mais en fait, elles n'ont rien d'extraordinaire.

Elle souriait d'un sourire inaltérable, qui lui donnait une expression résolument enthousiaste. Elle portait un jean de denim trop ample et elle avait tressé ses longs cheveux blonds.

— Et si on nous voit ?

— Je dirai que tu es mon frère.

— Mais, ai-je répondu sans pouvoir me retenir de rire, il est évident que PERSONNE ne croira ça !

— D'accord. Tu es mon cousin afro-américain, a-t-elle gloussé. Mon cousin adopté. Mais on ne nous verra pas, car nous allons passer par-derrière. Suis-moi.

Je l'ai donc suivie jusqu'à l'arrière de la propriété, puis à l'intérieur d'un petit portique, et enfin, en haut d'une volée de marches très anciennes qui craquaient et gémissaient à chaque pas. Elles devaient bien avoir cent ans. Nous nous sommes finalement retrouvés dans un couloir silencieux bordé d'une succession de portes.

Nous nous sommes arrêtés devant l'une d'elles et sommes entrés dans la vaste chambre d'Allison. Une moquette verte recouvrait le sol et les deux lits luxueux étaient drapés de couvre-lits verts et jaunes à fleurs et jonchés de coussins assortis. Sur l'un des murs s'alignait une étagère supportant des photos, des trophées, des bouquins et des plantes en pot, tandis que l'autre disparaissait derrière un meuble audio-vidéo ultramoderne allant du plancher au plafond. Il y avait également une grande fenêtre, une salle de bain privée et une penderie plus vaste que la chambre que je partageais avec mes deux frères.

— J'avais compris que les chambres n'avaient « rien d'extraordinaire » !, ai-je dit en sifflant doucement.

— C'est pas mal.

— C'est mieux que ça ! Je ne savais pas que tu vivais dans un tel endroit. Tu laissais entendre que c'était un donjon, mais c'est formidable.

— C'est bien, si on aime les règles, la routine et l'absence d'intimité. Ma camarade de chambre, Lucia, est sympathique, mais nous n'avons rien en commun. Elle est plus vieille que moi et tout à fait entichée du type avec qui elle sort.

— C'est mieux que d'avoir DEUX camarades de chambre.

— Évidemment. N'empêche que j'ai l'impression de ne pas être à ma place ici, a-t-elle déclaré en se fourrant les mains dans les poches et en faisant la grimace. Cette chambre ne ME ressemble pas. J'ai préféré habiter chez Varina. Même si son oncle était mal en point, je m'y sentais bien. Cela n'avait rien à voir avec la demeure politiquement parfaite dans laquelle j'ai grandi ni avec cette prison structurée. C'était un VRAI foyer.

— Comme chez moi, ai-je dit avec nostalgie, en me demandant si mon foyer redeviendrait un jour un foyer heureux — et comprenant sur-le-champ qu'il ne le redeviendrait qu'avec le retour de Kristyn.

Ma gorge s'est serrée. J'ai détourné les yeux et mon regard s'est posé sur le meuble audio-vidéo. J'y ai vu un objet sombre et carré que je n'avais pas remarqué avant.

— Qu'est-ce que tu regardes ? a-t-elle interrogé.

— Allison, tu ne m'as pas dit que tu avais un portable ! Je t'ai demandé si tu avais une adresse électronique et tu m'as répondu que non.

— Je ne corresponds pas par courrier électronique, a-t-elle fait en levant les yeux au ciel. Mon père m'a envoyé le portable pour me récompenser d'être revenue au collège et de ne pas avoir révélé à la presse que j'avais été adoptée illégalement. J'aurais préféré recevoir un nouveau ceinturon de charpentier. Que veux-tu que je fasse d'un ordinateur ?

— Tout !

J'étais déjà à l'ordinateur sur lequel je faisais courir mes doigts.

— Laisse-moi te montrer.

— Bof !

— Tu vas adorer ça! l'ai-je assurée, ravi de découvrir qu'il y avait un modem, que j'ai branché.

Allison s'est postée dans mon dos pendant que l'ordinateur s'animait sous mes doigts. Mon excitation, ai-je songé, devait ressembler à celle qu'éprouve un pianiste avant un concert. J'ai tapé quelques codes, entendu une sorte de carillon signalant que j'étais en ligne, puis j'ai accédé à ma messagerie électronique.

— Regarde ça, Allison! me suis-je écrié en repoussant mes lunettes qui me glissaient sur le nez.

— Que suis-je censée regarder? a-t-elle demandé avec scepticisme.

— De la cybermagie, ai-je gloussé en montrant l'écran du doigt. Ton portable est en ligne et il bourdonne d'information. Tu vois ces messages? C'est mon courrier électronique.

— Ton courrier électronique? Ici?

Elle a tiré une chaise et s'est assise à côté de moi.

— Mais comment TON courrier atterrit-il dans MON ordinateur?

— J'ai accédé à mon serveur, ai tapé quelques codes et voilà! Regarde, un message de Sam. Je parie qu'il a déniché d'autres saletés sur les Victor.

— Sur le docteur Victor et Geneva ?

Allison était des plus attentives maintenant.

— Qui est Sam ?

— Un copain ; un vrai pirate. Il a découvert où étaient situées les propriétés des Victor, et j'ai l'intention de me rendre à l'une d'elles, près de Monterey.

— C'est par là que Geneva a acheté les chaussures argentées dont tu m'as parlé ?

— Ouais. La police croit que les Victor sont au Mexique, mais je sais que ce n'est pas vrai. Sam m'a envoyé un cliché de Geneva et c'est bel et bien la femme que j'ai vue à l'auberge.

— Ben alors, lançons-nous à la recherche de cette sorcière, a déclaré Allison. Tu te serviras de ta super vision pour la retrouver et moi, de ma super force pour l'attraper et l'obliger à avouer.

— Allison, ai-je dit en secouant la tête, tu as été formidable, mais je dois agir seul. C'est ma faute si Kristyn a disparu.

— Ce n'est pas TA faute. C'est celle de ces salopards de Victor. Et je tiens vraiment à t'aider.

— Dans ce cas, aide-moi à me rendre à Monterey. Tu as une voiture ? ai-je interrogé en me tournant vers elle.

— Moi ? Pas encore.

Elle a secoué la tête et sa tresse lui a fouetté les épaules.

— Mais j'ai laissé entendre que j'aimerais bien en recevoir une à Noël.

— Comment vais-je me rendre à Monterey ? Pas encore en bus.

— Ne t'en fais pas. Ma copine de chambre a une voiture et son petit ami habite à Monterey. Si je lui offre de payer l'essence, elle nous y conduira. Toi et moi, Eric, a-t-elle ajouté fermement.

J'ai froncé les sourcils, pas très heureux à l'idée d'impliquer Allison plus que nécessaire. Je ne souhaitais pas la mettre en danger, mais je n'avais guère le choix.

— D'accord, ai-je finalement concédé. Mais lorsque nous arriverons à la copropriété des Victor, c'est moi qui entre.

— On verra, s'est contentée de répondre Allison, ce qui n'était pas vraiment un oui.

Mais je n'étais pas en position de discuter.

J'ai donc reporté mon attention sur l'ordinateur.

J'ai rapidement pris connaissance des messages de Sam, qui avait trouvé un nouvel article médical rédigé par Victor. Celui-là portait le titre suivant : « Eugénisme : améliorer la race humaine ».

— C'est quoi, l'eugénisme ? s'est enquise Allison, qui lisait par-dessus mon épaule. Une sorte de diète ?

— Une diète génétique pour la race humaine. C'est un article écrit par le docteur Victor.

J'ai entrepris de le lire et me suis senti devenir nauséeux.

— Il veut améliorer les gens en éliminant les imperfections.

— Des conneries! s'est écriée Allison en se penchant sur l'écran.

Je l'ai entendue avoir un petit hoquet.

— C'est une blague. Personne ne peut penser comme ça. Il n'est pas sérieux!

— Il l'est. Il se qualifie de visionnaire et promet d'éliminer toutes les faiblesses humaines. Il prévoit modifier le profil génétique de l'avenir et va jusqu'à parler de créer des clones surgelés en guise de pièces de rechange, comme s'il s'agissait de vendre des organes humains dans un centre commercial.

— Et si on NOUS avait créés uniquement pour prélever sur nous des pièces de rechange? a demandé Allison les yeux remplis d'horreur. Enfin, nous SOMMES des clones. Nous ignorons à partir de qui on nous a clonés. Si l'oncle de Varina et la femme médecin ne nous avaient pas sortis de ce laboratoire flottant, que serions-nous devenus?

— Je ne sais pas. Tu sais ce qu'il y a d'encore plus horrible ?

— Je n'ose pas le demander. Quoi ?

— Lorsque j'ai commencé à surfer sur le Web pour récolter des infos, j'ai vu plein de trucs expliquant que les humains ont des gènes en commun avec les bananes et comment on clone des vaches avec des gènes humains. Puis j'ai trouvé le site d'une clinique à l'étranger où les gens qui souhaitent être clonés peuvent s'inscrire.

— Tu plaisantes !

— Pas du tout. Le site existe, mais c'est peut-être une arnaque. Ça m'a quand même fait flipper. Enfin, combien de clones y a-t-il dans la nature ? On sait qu'il y a nous, c'est-à-dire toi, moi, Varina, Chase et Sandee. Mais il pourrait y en avoir DAVANTAGE.

Allison m'a lancé un regard intense. Nous avons gardé le silence pendant quelques instants. Puis, elle m'a touché la main.

— Eric, c'est vrai ?

— Quoi ? ai-je demandé gravement.

— Les êtres humains ont-ils VRAIMENT des gènes en commun avec les bananes ?

Elle a souri, et les coins de sa bouche ont frémi. Puis, elle a éclaté de rire, et bientôt, je riais si fort moi aussi que j'en ai perdu le souffle.

Nous riions encore lorsqu'on a frappé à la porte et qu'une voix bourrue a ordonné :

— Ouvrez ! Y a-t-il un garçon dans la chambre ?

CHAPITRE 22

— Eric, planque-toi! s'est écriée Allison. Il ne faut pas qu'on te trouve ici! Même moi, je ne tiens pas à avoir ce GENRE d'ennui!

— Mais où? Dans la penderie?

— Non! C'est le premier endroit qu'ils vont fouiller! a chuchoté Allison. Va sous le lit.

La porte a vibré sous une nouvelle succession de coups.

J'ai regardé autour de moi, décidé qu'il n'y avait pas assez de place sous le lit et me suis élancé vers la seule autre planque possible — la salle de bain. J'ai refermé la porte derrière moi et me suis glissé à l'intérieur de la cabine de douche.

J'ai entendu la porte s'ouvrir puis le bourdonnement de voix surexcitées. Mais je n'arrivais pas à saisir ce qu'on disait. Malheureusement, je n'avais pas l'ouïe génétiquement survoltée de Chase. Hum… mais j'étais doté d'un autre type de super pouvoir. J'ai décidé de mettre de nouveau à l'épreuve ma vision radiographique.

J'ai donc retiré mes lunettes et j'ai fait le point sur la porte close.

À l'extérieur, les voix ont baissé d'un ton et j'aurais juré avoir entendu quelqu'un rire. Que se passait-il?

Je me suis concentré, transperçant du regard le grain du bois puis l'obscurité, et apercevant des formes brillantes et vivement colorées. OUI! Je voyais à travers la porte, et il me semblait mieux maîtriser le processus cette fois. Il suffisait peut-être de s'entraîner.

Mon regard a trouvé Allison. Elle se tenait debout près d'un lit, le sourire aux lèvres et le bras tendu vers, m'a-t-il paru, l'endroit où j'étais planqué. Puis, j'ai vu l'autre personne : une fille trapue, au teint olivâtre et aux cheveux bruns bouclés, un peu plus vieille qu'Allison. Elles riaient.

Soudain, la voix d'Allison a retenti :

— Tu peux sortir maintenant, Eric !

Je suis sorti de la cabine et j'ai frotté mes chaussures humides sur un tapis. Puis, j'ai jeté un coup d'œil prudent dans la chambre en chuchotant :

— Tu es sûre ?

— Ouais, a répondu Allison en s'avançant vers moi. Je veux te présenter ma camarade de chambre, Lucia.

— Ta copine ? C'est pas un prof ?

— Je vous ai bien eus, a rigolé Lucia. Je n'en reviens pas. Je me suis contenté de prendre une voix plus grave et plus autoritaire.

— Lucia savait que tu allais venir et elle a un sens de l'humour tordu, a expliqué Allison. Mais comme elle va nous conduire jusqu'à Monterey, on lui pardonne.

— Je t'en prie, pardonne-moi, Eric, a fait Lucia d'une voix taquine en laissant tomber un lourd sac à dos vert. D'habitude, je n'oblige pas les copains d'Allison à se planquer dans la salle de bain. Du moins, pas ceux qui sont mignons.

Mignon ? ai-je songé, embarrassé, mais tout de même un peu flatté. Puis, j'ai retrouvé mes bonnes manières et ai poliment hoché la tête.

— Y a pas de mal. Enchanté de faire ta connaissance, Lucia.

— Oooh, quel accent charmant ! s'est-elle exclamée. J'adore l'accent du sud.

— Du Texas, ai-je dit, encore plus embarrassé. Euh, je suis de Marshall, au Texas. Tu n'en as probablement jamais entendu parler.

— Mais je veux TOUT savoir. Mon petit ami a déjà habité au Texas et je parie que tu vas l'adorer. Il est…

Allison lui a coupé la parole.

— Nous discuterons plus tard, Lucia. Il faut qu'on parte.

— Tu vas payer pour le plein ? s'est empressée de demander Lucia en attrapant son sac à main dont elle a tiré un trousseau de clés.

— Tu as tout compris.

Allison a tiré un portefeuille de sa poche et a agité une carte de crédit bleu et or.

— Sortons d'ici avant qu'un VRAI prof découvre Eric.

Par la glace de la voiture, j'observais avec curiosité les ponts, les autoroutes saturées de voitures, les kilomètres d'édifices en hauteur, et les aperçus de l'océan. J'avais souvent rêvé de parcourir le pays tout en songeant que je devrais pour cela attendre d'avoir terminé le lycée. Et voilà que je me retrouvais à bord d'une pimpante Corvette bleue en compagnie de deux filles ravissantes. Attendez que je raconte cela à Marcos et à Larry Joe !

Puis, j'ai pensé à Kristyn et me suis senti coupable de m'amuser. Il ne fallait pas que je l'oublie, pas même une seconde.

Nous roulions sur une route étroite et achalandée qui serpentait à travers des collines colorées de brun et de vert, et des terres agricoles qui s'étendaient jusqu'à l'océan. Je n'avais vu le Pacifique et ne pouvais détacher les yeux des vagues bondissantes et ourlées d'écume qui déferlaient sur le sable et les rochers protubérants. Extraordinaire !

Nous avons emprunté la bretelle vers Pacific Grove, et Allison s'est tournée vers moi.

— Trouve la rue sur le plan.

— D'accord.

J'ai déplié la carte et ai consulté l'index des rues. Après avoir trouvé l'adresse, j'ai indiqué à Lucia comment s'y rendre.

— Je connais le quartier, a déclaré Lucia. C'est tout près de l'endroit où habite mon chou. Il fait du kick-boxing et des œuvres d'art avec des coquillages. Eric, tu aimerais qu'on passe d'abord chez lui pour que vous fassiez connaissance ?

— Une autre fois peut-être, ai-je répondu.

— Tant pis pour toi, a-t-elle fait en haussant les épaules.

— Retrouver ma sœur est très important, ai-je dit d'un air grave, en observant les demeures, les immeubles et les entreprises devant lesquels nous passions et en me demandant si je me rapprochais de Kristyn.

— C'est là ! s'est écriée Allison en montrant du doigt un vaste édifice bleu marine et beige. C'est l'immeuble avec le grillage en fer forgé. Tu peux nous déposer ici, Lucia.

— Vous voulez que je vous attende ? a demandé Lucia en ralentissant.

— Pas la peine, a dit Allison. Cela peut nous prendre quelques minutes ou quelques heures. On te téléphone quand on sera prêt à partir.

— Comme vous voulez, a répondu Lucia avec un haussement d'épaules. J'espère que vous savez ce que vous faites.

— Nous le savons, ai-je fait gravement.

Puis, Allison et moi avons salué d'un geste Lucia qui s'éloignait.

Un rude souffle marin m'a fouetté le visage et j'ai frotté mes bras couverts de chair de poule. En regardant le ciel, j'ai vu que de lourds nuages gris dissimulaient le soleil, nous privant de sa chaleur et imprégnant l'air d'une brume fraîche. J'ai frissonné.

— N'oublie pas, c'est moi qui entre, ai-je rappelé à Allison, en m'efforçant d'avoir l'air dur et assuré. Tu m'attends dehors.

— Ne fais pas le macho.

— Kristyn est MA sœur.

— Et moi, je suis ton amie. Nous devons agir ensemble.

— Je vais agir à l'intérieur, et tu vas faire le guet à l'extérieur.

— Ne me donne pas d'ordres, m'a-t-elle déconseillé. Je pourrais te soulever comme une plume.

— Tu ne ferais pas ça !

Debout à côté d'un haut palmier, je me suis soudain senti très petit.

— Et comment que je le FERAIS.

Ses yeux avaient un éclat que je n'aimais PAS. Je l'avais déjà vue soulever plus du triple de son propre poids.

— Tu n'es pas la seule à avoir des pouvoirs extraordinaires, ai-je rétorqué. Grâce à ma vision, je pourrais te regarder, enfin, voir à travers tes…, j'ai hésité, le rouge aux joues. Je veux dire que je pourrais voir des trucs que tu ne veux pas que je voie.

— Tu ne ferais pas ça, s'est-elle écriée.

— Et comment que je le FERAIS.

— Échec et mat! a lancé Allison.

Nous nous sommes tous les deux esclaffés, puis le regard d'Allison s'est soudainement adouci et elle m'a doucement touché la main.

— Hé, je sais que tu te fais du souci pour ta sœur. Moi aussi, je veux la retrouver.

— Je t'en suis reconnaissant.

— Bon, fonce, lance-toi à l'assaut de l'immeuble, espèce de macho. Je vais t'attendre ici.

— Merci, ai-je dit doucement en jetant un coup d'œil anxieux à l'immeuble en apparence paisible.

J'ai hésité. Et maintenant? J'avais traversé plusieurs États pour me rendre ici, mais je ne pouvais tout de même pas aller frapper à la porte et demander à ce qu'on me rende ma sœur. Quelle était la meilleure tactique? Me faufiler jusqu'à l'arrière de l'immeuble en quête d'une porte déverrouillée ou d'une fenêtre entrebâillée?

— Tu y vas ou quoi? a demandé Allison qui, voyant que le vent du large se levait, a resserré les pans de sa veste.

— J'y vais. J'essaie juste de figurer comment faire. Si Kristyn est détenue ici, je dois faire gaffe, sinon elle risque d'être blessée.

J'ai plissé les lèvres, frustré de n'avoir aucune idée sur la manière de procéder. Si seulement je savais ce qui se passait dans l'appartement. Mais il y avait peut-être moyen de le découvrir…

J'ai retiré mes lunettes et les ai tendues à Allison.

— Génial! s'est-elle écriée. Tu vas te servir de ta super vision!

— Je vais essayer, mais je ne la maîtrise pas toujours, ai-je reconnu.

La sensation de vertige m'a durement frappé et le monde autour de moi a commencé à tanguer et à vaciller. Tout est devenu flou, et si je n'avais pas été adossé au palmier, je serais sans doute tombé. J'ai entendu Allison me demander si j'allais bien, mais je me suis contenté de hocher la tête et de me concentrer sur ce que je voyais.

Les couleurs se mêlaient comme celles d'un arc-en-ciel en train de fondre, s'incurvant et s'étirant en tous sens. Puis, elles ont fusionné et se sont muées en images solides. Le grain sombre du bois a cédé la place à une vision d'un blanc aveuglant — des murs blancs, des moquettes blanches, du mobilier blanc.

— J'y suis, ai-je murmuré à Allison.

— Tu vois quelqu'un? l'ai-je entendue m'interroger.

— Pas encore.

Parler me demandait trop d'efforts, j'ai donc fait abstraction d'Allison et me suis introduit encore plus profondément à l'intérieur de l'appartement. À droite, j'ai vu des plans de travail clairs, un évier, un réfrigérateur — la cuisine. Aucun signe de vie. L'unique mouvement provenait du robinet qui gouttait.

Puis, j'ai saisi un tourbillon sombre. Des gouttes de sueur ruisselaient de mes sourcils et j'avais l'impression que ma tête était sur le point d'exploser. Toutes les cellules de mon corps réclamaient à grands cris que j'abandonne, que je sorte de là, mais je ne pouvais plus m'arrêter.

J'ai donc fait abstraction du monde et ai fixé les yeux sur l'endroit d'où venait le tourbillon sombre. Je l'ai vu de nouveau, un truc aussi noir que le danger, aussi vif que la peur. Un pelage hérissé d'un gris presque noir, des crocs blancs, des prunelles jaunes enflammées capables de transpercer le soleil.

Un loup.

CHAPITRE 23

— Eric ! Sors de là !

La voix d'Allison flottait doucement dans mon cerveau embrumé et saisi par la peur.

Tout ce que je voyais, c'était des mâchoires prêtes à mordre et des prunelles folles de rage, comme si j'étais aspiré dans une sorte de piège infernal. Je savais que je me trouvais dehors, dans l'air salin et froid, mais une part de moi était à l'intérieur — avec le loup.

Soudain, Allison m'a agrippé, a hurlé quelque chose et a replacé mes lunettes devant mes yeux.

— Quoi ? ai-je fait en clignant des yeux et en secouant la tête. Tu l'as vu ? Le loup ?

— Un loup ? a-t-elle dit, les yeux écarquillés de stupeur. Pas du tout !

— Mais j'en ai vu un ; une énorme bête au poil sombre et aux crocs capables de transformer un requin en gomme à mâcher.

Je me suis rendu compte que je parlais trop vite, sans doute pour dissimuler ma nervosité. J'aimais les chiens, mais j'avais déjà observé des loups errant autour de notre ranch et j'en savais assez sur eux pour les craindre.

— Incroyable ! s'est exclamée Allison, en jetant un regard sidéré de l'autre côté de la rue. Tu parles d'un chien de garde. Les gens qui vivent là ont VRAIMENT quelque chose à cacher.

— Par exemple, une fille qu'ils auraient enlevée, ai-je dit gravement.

Et même si une part de moi avait envie de prendre ses jambes à son cou et de fuir très loin du loup, j'ai croisé les bras sur ma poitrine et froncé les lèvres.

— Je vais à l'arrière pour tenter de trouver le moyen d'entrer.

— Pas tout seul.

— Il est préférable que tu fasses le guet ici.

— Tu ne me feras pas gober ça, a-t-elle déclaré en se redressant de toute sa taille avec une détermination inébranlable. En plus, penses-tu vraiment pouvoir sauter ce mur élevé sans mon aide ?

J'ai regardé l'épaisse muraille imitant le pisé qui entourait la petite copropriété. Le mur atteignait au moins deux mètres et demi de hauteur, et il était aussi lisse et savonneux qu'une glissade d'eau. Il était surmonté d'un grillage en fer forgé hérissé de pointes acérées.

— D'accord, ai-je maugréé avec un soupir.

Nous avons traversé la rue et nous sommes prudemment approchés d'un angle ombragé du mur. Après nous être assurés que personne ne nous regardait, Allison s'est hissée d'un bond sur le sommet du mur, m'a tendu la main et m'a balancé à côté d'elle ; puis, nous nous sommes laissés tomber de l'autre côté, sur une allée gravillonnée.

— Il y a une fenêtre, a dit Allison, en pointant du doigt l'arrière de l'immeuble, qui descendait vers une terrasse où des paniers de fleurs et des plantes en pots délimitaient un charmant petit coin tranquille.

Allison était déjà en train de grimper sur une jardinière de brique afin de jeter un coup d'œil par la fenêtre. Je me suis posté à côté d'elle.

— Tu vois quelque chose ?

— Oui, a-t-elle répondu d'une voix que l'excitation rendait aiguë. C'est la chambre arrière et la porte est ouverte, ce qui me permet de voir l'autre pièce. Un truc bouge !

— Le loup ?

— Je… je ne sais pas… C'est gris foncé et…

Soudain, elle a éclaté de rire, et très bruyamment merci !

— Chut ! l'ai-je avertie en posant un doigt sur ses lèvres. Il y a peut-être quelqu'un. On va t'entendre !

Mais elle a continué de rigoler, ce qui m'a franchement ennuyé. La situation ne prêtait pas à rire, pourtant.

Les dents serrées, je me suis hissé à côté d'elle et ai jeté un coup d'œil à l'intérieur, choquant mes lunettes contre la vitre de la fenêtre. Et j'ai vu quelque chose bouger… une chose noire, poilue et PETITE.

— Eric, a hoqueté Allison tant elle riait de bon cœur. Ton loup, il n'est pas très gros.

— Ah non ?

— Non, a-t-elle dit en rigolant de plus belle. Ce n'est qu'un tout petit terrier. Comme Toto dans le *Magicien d'Oz*.

J'ai battu des paupières, profondément humilié. Ce n'était même pas un chien énorme, un monstre, mais juste un petit terrier échevelé pas plus gros qu'un jouet. Pourtant, quand j'avais fouillé l'appartement du regard, le chien m'avait paru gigantesque. Un monstre vicieux, assoiffé de sang. Comment avais-je pu me méprendre à ce point ?

Allison a enfin cessé de rigoler et s'est excusée.

— Désolée, mais c'est trop drôle.

— Pour toi, peut-être, ai-je maugréé, irrité de ne pas mieux maîtriser ma vision et me demandant si, un jour, j'allais enfin cesser de faire des gaffes.

— Tout le monde commet des erreurs. Ne le prends pas si mal, Eric, a déclaré Allison en me pressant gentiment la main. Je suis juste très contente que tu te sois trompé.

— Bon, ouais. Mais les petits chiens peuvent mordre très fort, eux aussi.

— Contentons-nous de trouver le moyen d'entrer à l'intérieur.

— Tu es forte, ai-je dit avec une pointe d'envie. Arrache la porte.

— Je n'arracherai rien tant que je ne serai pas certaine que ta sœur se trouve là-dedans. Sers-toi de ta super vision pour fouiller toute la maison cette fois.

— À quoi bon ? Je vais encore déconner.

— Mais non. Essaie.

Les sourcils froncés, mais encouragé par sa marque de confiance, j'ai retiré mes lunettes.

Vertige, puis précision. OK, j'allais y arriver. J'ai fait le point sur chaque pièce de l'appartement : la cuisine, le salon, les salles de bain, les deux chambres, et même les penderies. Pas âme qui vive — hormis le petit chien tout poilu gentiment roulé en boule sur son coussin.

— Merde, ai-je dit terriblement déçu. Kristyn n'est pas là.

Peu de temps après, Lucia est venue nous cueillir. Elle nous a interrogés, mais Allison et moi ne lui avons fourni que des réponses vagues. J'ai apprécié qu'Allison ne se moque pas du « monstrueux » loup.

Elle a plutôt proposé que je passe la nuit à Monterey, chez le « chou » de Lucia au lieu de courir le risque de me faire attraper dans un collège de filles. Allison viendrait me retrouver le lendemain et nous mettrions au point une nouvelle stratégie.

Darzell était bel et bien « chou », un mec *cool* qui m'a raconté son enfance au Texas, m'a montré quelques-unes de ses œuvres d'art en bois flotté, puis a passé le reste de la soirée à m'enseigner quelques mouvements de kick-boxing. Je n'avais pas assez de coordination pour imiter ses gestes, mais j'ai tout de même placé quelques bons coups avant que Darzell m'écraser sur le derrière. Il a trouvé cela très marrant de me voir me relever péniblement en me frottant le derrière.

Avant d'aller au lit, j'ai longuement réfléchi à la nécessité de téléphoner chez moi. Mon père allait certainement m'engueuler encore une fois. Et comme ma sœur manquait toujours à l'appel, ma mère allait se montrer si désemparée que ce ne serait pas facile non plus de discuter avec elle.

Au bout du compte, j'ai décidé d'attendre au lendemain. J'aurais peut-être alors des réponses et un peu d'espoir à leur offrir.

Mais quand le jour s'est levé, je ne savais toujours pas comment m'y prendre pour retrouver ma sœur. C'est avec la plus grande impatience que j'ai attendu Allison et Lucia. Je sursautais chaque fois que le téléphone sonnait ou qu'une voiture passait.

Allison et Lucia sont arrivées à midi — avec quelqu'un d'autre.

Stupéfait, j'ai regardé la fille svelte aux cheveux châtains debout à côté d'Allison : une fille qui, comme moi, avait été clonée quinze ans auparavant et dotée de pouvoirs exceptionnels.

Souriant à ce « clone cousine » que je n'avais vu qu'une seule fois auparavant, j'ai salué Varina.

CHAPITRE 24

Los Angeles, Californie

— Tu cherches Sandee Yoon? a soufflé Serena.

— Oui, a répondu le mec blond d'une voix pleine d'espoir. Tu la connais?

Serena l'a regardé, étonnée qu'il n'ait pas deviné qu'elle était Sandee Yoon. Bien entendu, depuis son départ de la maison, elle avait changé radicalement d'allure. Ses courts cheveux noirs striés de blond, son rouge à lèvres mauve, ses cils lourdement chargés de mascara et ses habits punk lui conféraient un air mature, rebelle. Même Amishka ignorait qu'elle n'avait que seize ans. Et on n'exigeait plus qu'elle montre des papiers établissant son âge, ce qui était génial.

— Si je connais Sandee? a répété Serena pour se donner le temps de réfléchir. Eh bien… peut-être que si, mais peut-être que non. Pourquoi?

— Je me fais du souci pour elle, a-t-il répondu en fronçant les sourcils et en se frottant le front de sa main rude.

Son jean ajusté bleu marine et sa chemise bleu clair étaient chiffonnés, comme s'il avait dormi dedans, et les cernes sombres sous ses yeux contrastaient avec ses cheveux très blonds.

— Du souci? a repris Serena avec dédain. Ouais, je suppose.

— Vraiment. Il est urgent que je la retrouve.

Son ton était sincère, et la peau de Serena s'est glacée. Qui était ce type, en fait? Un beau mec, visiblement. Mais elle ne l'avait jamais vu auparavant, donc à quel jeu jouait-il?

— J'aimerais t'aider, mais j'ai d'autres problèmes à résoudre pour l'instant. Je ne devrais même pas rester ici à glander…

Entendant le *dring* de l'ascenseur, elle a jeté un regard angoissé par-dessus son épaule, mais voyant deux gamins et leurs parents en descendre, elle s'est un peu détendue. Ravage avait peut-être renoncé à la chercher.

— Je vois bien qu'un truc te rend nerveuse, a-t-il fait, la mine soucieuse. Je peux t'aider ?

— Non. Je dois juste discuter avec des amis.

— Les Fever Pitch, hein ?

Elle a hoché la tête, encore méfiante, mais totalement sous le charme de son regard bleu-gris. Elle avait l'habitude des techniciens et des minables qui la draguaient dans un esprit sportif, comme si elle était le trophée à remporter. Mais ce type était différent…

— Comment tu t'appelles ? a-t-elle demandé.

— Chase Rinaldi. Et toi ?

— Serena, a-t-elle répondu avec son sourire « étincelant », soigneusement mis au point, qui d'ordinaire séduisait les mecs comme le chant d'une sirène.

— Serena, c'est tout ?

— Oui. Comme Madonna. Cher. Brandy. Je serai aussi célèbre qu'eux dès qu'on me donnera ma chance. Et il est possible que je PUISSE te raconter des trucs sur Sandee. Mais là, tu tombes mal.

— Dis-moi où et quand, et j'y serai.

— Bonne réponse, a-t-elle approuvé.

— C'est un test ? a-t-il gloussé. J'ai réussi ?

— Je ne connais pas encore le score.

— Bon, il faut que je retrouve Sandee, que je m'assure qu'elle va bien. C'est important et le temps file. Tu peux m'aider ou non ?

— Je peux t'aider, mais je ne vais pas révéler à un parfait inconnu où se trouve mon amie, pas avant d'être convaincue de pouvoir te faire confiance.

— Je ne te demande pas ta confiance, mais des renseignements.

— Viens donc me retrouver à dix heures demain matin, au café près du hall, a-t-elle fait avant de scruter nerveusement le couloir. Et ce n'est pas la peine d'interroger les Fever Pitch. Ils ne connaissent pas Sandee, pas comme moi. Si jamais je décide que tu es digne de confiance, je te dirai où elle est.

— Ça me va, a-t-il conclu en se permettant un petit sourire. À demain matin, Serena.

— Ouais.

Fascinée, elle a gardé les yeux fixés sur son sourire un long moment.

— À demain, Chase.

CHAPITRE 25

Varina avait une façon bien à elle de regarder les gens et de comprendre ce qu'ils voulaient dire.

— Ne t'en fais pas, Eric. Nous allons retrouver ta soeur, m'a-t-elle assuré depuis le divan de Darzell.

Lucia et son petit ami étaient partis ailleurs, mais ils nous avaient dit que nous pouvions rester jusqu'à leur retour.

— Mais où allons-nous la chercher? ai-je demandé. J'étais si certain qu'elle se trouvait dans cet appartement.

— Et les autres propriétés des Victor? a interrogé Allison en plongeant la main dans un sachet de Doritos dont elle a retiré une généreuse poignée.

Elle m'a tendu le sachet, mais j'ai secoué la tête.

— Ils possèdent un terrain de plusieurs acres à Red Bluff et un appartement à San José, ai-je répondu. Si j'avais accès à ma messagerie électronique, je pourrais vous énumérer leurs autres propriétés, dont certaines sont à l'étranger.

Mon cœur s'est affolé.

— Croyez-vous qu'ils ont emmené Kristyn dans un autre pays? Les policiers affirment que Victor et Geneva sont à Mexico.

— Mais tu sais bien que ce n'est pas possible. Tu l'as vue, a fait remarquer Varina.

— Ouais. Elle avait vraiment l'air d'être une gentille vieille dame. Elle m'a bien eu.

— Geneva m'a eue, moi aussi, a reconnu Varina. Heureusement, Chase m'a fait comprendre qu'elle jouait la comédie.

— Parlant de Chase, a dit Allison avec un sourire espiègle en s'inclinant vers Varina. Tu as de ses nouvelles?

— Ouais. Il me téléphone parfois, a-t-elle répondu d'une voix douce en rougissant. Il a déniché les Fever Pitch à Los Angeles et il a bon espoir de retrouver Sandee Yoon. Il va ensuite rentrer à la maison.

— C'est formidable! lui ai-je dit.

— Mais, elle est où, la maison de Chase ? s'est enquise Allison en arquant ses sourcils blonds. Va-t-il retourner à Reno ?

— Pas à Reno. Depuis la mort de ses parents et la destruction de sa maison, il n'a plus aucun lien là-bas. Mais…

Varina a baissé les yeux sur ses mains jointes et elle a rougi encore davantage.

— Mais oncle Jim lui a dit qu'il serait toujours le bienvenu chez nous. Il a invité Chase à venir habiter chez nous. Et il espère qu'il acceptera.

— Il deviendrait un peu comme ton demi-frère, l'a taquinée Allison.

— PAS LE MOINS DU MONDE ! a sèchement rétorqué Varina avant de se couvrir la bouche de la main avec embarras. Bon, d'accord, il a prétendu être mon demi-frère pour m'épargner de me retrouver dans une famille d'accueil quand oncle Jim était à l'hôpital, mais nous ne sommes ABSOLUMENT pas du même sang, Chase et moi.

— Comment le sais-tu ? ai-je demandé. Aucun de nous ne sait de qui il est le clone.

— Sauf…

Varina s'est mordu les lèvres et a détourné le regard.

— Tout ce que je sais, c'est que Chase et moi n'avons pas le même ADN, et que nous ne sommes donc pas parents.

— Une bien bonne chose ; POUR TOI, a fait Allison avec un sourire malicieux, et le teint de Varina s'est coloré du rouge le plus vif que j'ai jamais vu.

Et j'ai enfin compris de quoi il retournait. Varina éprouvait pour Chase des sentiments qui n'avaient rien de fraternel. Mais elle me semblait encore bien jeune pour un type aussi intense que Chase. J'étais curieux de savoir si Chase ressentait le même sentiment.

— Contentons-nous de trouver le moyen de secourir Kristyn, a sèchement rétorqué Varina.

Elle a plissé les lèvres et a pensivement regardé par la fenêtre d'où l'on apercevait au loin un bout d'océan bleu.

— Nous savons que Geneva détient Kristyn, il nous suffit donc de retrouver Geneva. Elle excelle peut-être dans l'art de se déguiser, mais il y a des choses que même elle ne peut cacher.

— Comme quoi ? ai-je demandé.

— Sa cupidité. Elle est du genre à demeurer dans des hôtels luxueux à proximité de galeries marchandes chics. Elle choisirait un endroit confortable, mais où toutefois on ne songerait pas à la rechercher.

— La police croit que la fausse Eleanor Corvit s'est rendue à New York, ai-je dit avec aigreur. Elle l'a bien eue, avec son déguisement.

— Mais nous savons ce qu'il en est, a dit Allison en me pressant la main.

— Corvit. Ce nom…

Varina a froncé les sourcils et a demandé :

— Cela s'écrit bien C-O-R-V-I-T ?

— Ouais, ai-je acquiescé avec un hochement de tête. Pourquoi ?

— J'ai toujours été bonne en matière de puzzle et de jeux de mots ; particulièrement en anagrammes.

Varina a replié sous elle ses jambes sur le divan à rayures bleues et blanches.

— « Corvit », c'est une anagramme.

— J'ai pigé ! a fait Allison en agitant une Doritos en l'air. Pour Victor. « Corvit » et « Victor » reprennent les mêmes lettres.

— Évidemment !

Je me suis frappé le front en maugréant contre ma stupidité. Je n'avais jamais été bon en ce genre de trucs.

— Eric, voyons, tu as découvert une foule d'autres renseignements utiles, a dit Varina comme si elle avait lu dans mes pensées. Je parie que si nous analysons l'information, nous trouverons un truc important.

— Je pourrais dresser la liste de tout ce que j'ai appris jusqu'à présent, ai-je proposé.

— Pas la peine, a fait Allison en me poussant du coude. Les listes ne sont pas nécessaires quand Varina est là. Tu n'as qu'à lui raconter. Elle retient tout.

— Ce n'est pas toujours agréable. Crois-moi, tu n'apprécierais pas te rappeler de tout ton passé, a déclaré Varina, les sourcils froncés, en tapotant la table de ses doigts. Par exemple, la nuit où la docteure Hart et oncle Jim nous ont aidés à fuir. C'est terrible de revivre sans cesse en esprit le moment où Victor a tiré sur la docteure Hart. Je… j'aimerais savoir si elle a survécu.

— Tu n'as jamais découvert ce qui lui était arrivé ? ai-je voulu savoir.

— Non. Mais j'ai parfois des souvenirs étranges d'une femme aux longs cheveux roux qui tente de me réconforter. Et il m'arrive de faire des cauchemars dans lesquels j'entends la docteure Hart hurler et je vois du sang se répandre sur sa poitrine…

— Elle est sans doute morte, a décrété Allison.

— Je ne sais pas. Je n'en suis pas certaine.

Varina a secoué la tête, et une mèche de cheveux châtains lui a balayé le sourcil.

— Oncle Jim va beaucoup mieux, mais lorsque je l'interroge sur mon passé, il a le vertige et il est à deux doigts d'avoir une crise de panique. J'ai donc cessé de lui poser des questions.

Elle a haussé les épaules, mais je voyais bien que le sujet la préoccupait.

— Par ailleurs, j'ai reconstitué une bonne part du puzzle à partir de mes souvenirs. Une fois que nous aurons retrouvé Kristyn, je vous en dirai davantage.

— Tu as intérêt, a fait Allison. Je n'aime pas tous ces mystères. Et je me pose une foule de questions sur notre naissance, nos étranges pouvoirs, et les personnes dont nous sommes les clones.

— Moi aussi, ai-je reconnu, curieux de savoir s'il y avait un Eric adulte quelque part — ou plus étrange encore, une copie conforme de moi-même.

Mais j'ai repoussé ces pensées et ajouté :

— Pour l'instant, la seule chose qui m'importe, c'est de retrouver Kristyn.

— Je comprends.

Varina a hoché la tête avec compassion. Elle m'a ensuite demandé de lui raconter tout ce que je savais de la disparition de ma sœur : comment « Mme Corvit » et « Mitch » avaient prétendu travailler pour une émission de télévision, la conversation que j'avais surprise alors que j'étais sous le lit et les renseignements que j'avais obtenus sur le Web.

Lorsque j'ai eu terminé, Varina a longuement regardé par la fenêtre, et j'entendais presque son cerveau semblable à un ordinateur tourné en mode « recherche ». Mais j'ai quand même sursauté lorsque, après un long silence, elle a brusquement claqué des doigts en s'exclamant :

— Ça y est !

— Quoi ? Allison et moi nous sommes-nous écriés d'une seule voix.

— Je sais où nous devons poursuivre nos recherches, a-t-elle déclaré, ses yeux verts brillant d'excitation. C'est toi qui l'as dit, Eric.

— J'ai fait ça ?

— Ouais. Geneva Victor est matérialiste et elle ne peut résister à l'envie de courir les magasins. Et elle RAFFOLE des chaussures…

La signification des propos de Varina m'a soudainement frappé.

— Les chaussures argentées !

— Voilà, a-t-elle dit en me souriant.

Allison a regardé Varina, puis moi, en secouant avec perplexité sa tête blonde.

— Mais de quoi parlez-vous ?

— Nous repartons à la recherche de Geneva, voilà ce que nous disons, ai-je lancé en attrapant Allison par la main et en la tirant du divan. Allons fouiner chez Pacific Soles !

CHAPITRE 26

Nous avons trouvé un bottin et localisé la boutique de chaussures Pacific Soles — qui s'est révélée n'être qu'à environ trois kilomètres. Comme nous n'avions pas de voiture, nous avons entrepris de nous y rendre à pied.

Des nuages gris s'élevaient au-dessus de l'océan, mais des rayons de soleil les transperçaient. Nous avons découvert un sentier pour randonneurs et cyclistes sur lequel nous avons marché d'un pas rapide, dans le bruit du ressac et d'une fraîche brise marine. N'eût été les craintes que m'inspirait la situation de Kristyn, j'y aurais sans doute pris plaisir.

Kristyn était disparue depuis plus de trois jours. Selon le journal télévisé, que j'avais regardé à quelques reprises, on n'avait pas trouvé de nouveaux indices ni de nouvelles pistes. Mitch et sa « compagne plus âgée » avaient si bien réussi à s'échapper qu'on aurait pu croire qu'ils s'étaient perdus dans une autre dimension. Et la police semblait douter que Kristyn nous revienne saine et sauve. On employait des phrases horribles comme « crime pressenti », puis on montrait la photo d'une jeune femme souriante aux cheveux sombres : la dernière victime de Mitch. J'avais l'estomac à l'envers juste à y penser. Trop de temps s'était écoulé depuis l'enlèvement de Kristyn ; trop de choses affreuses avaient pu se produire.

Ma sœur était-elle effrayée ?

Avait-elle mal ?

Était-elle toujours en vie ?

Il fallait qu'elle soit vivante. J'allais la chercher jusqu'à ce que je la retrouver. Et je me rapprochais. Je le sentais.

— Voici la boutique Pacific Soles.

Allison, qui avait d'emblée pris la direction de notre groupe, a montré du doigt une petite succession de boutiques situées dans une rue transversale.

Pacific Soles était blottie entre une galerie d'art et un magasin de confiseries pour gourmets. Des chaussures élégantes montées sur des présentoirs en verre étaient exposées dans la vitrine coûteuse.

Allison s'est brusquement arrêtée et s'est tournée vers Varina en tendant la main.

— Avant d'entrer, je dois me rendre présentable. Tu as des produits de maquillage ?

— Quelques-uns, a répondu Varina en ouvrant son sac à main. Un tube de rouge à lèvres mauve givré et un trio de fards à paupières Jade précieux, Brume argentée et Rose mortel.

— Génial !

Allison a marché jusqu'à une voiture stationnée et, en se servant du rétroviseur extérieur, elle a étalé les fards colorés avec l'habileté d'un artiste créant un chef-d'œuvre. Elle a noué le bas de son ample chemise jaune de façon à mettre en valeur ses hanches étroites. En guise de touche finale, elle a défait sa longue tresse et laissé ruisseler ses cheveux blonds.

— Qu'en dites-vous ? a interrogé Allison avec un sourire espiègle. J'ai l'air d'une fille à présent ?

— C'est peu dire, l'a taquinée Varina en sifflant doucement. Pas question que je te prête du maquillage quand Chase reviendra.

— Tu es superbe, ai-je dit simplement, légèrement embarrassé.

Puis, nous nous sommes dirigés vers Pacific Soles, Allison en tête. Dès que nous sommes entrés dans la boutique et avons posé le pied sur une épaisse moquette beige, un carillon a signalé notre arrivée.

Une femme s'est immédiatement avancée vers nous. Elle portait un tailleur rose pâle, des chaussures à talons plats assorties et une toque blanche juchée sur ses cheveux gris-bleu lustrés. Elle était un modèle de perfection et, en jetant un regard sur mon jean chiffonné et mon t-shirt délavé, je me suis demandé s'il n'aurait pas été préférable que j'attende dehors.

Avec un sourire gracieux, Allison lui a tendu la main.

— Bonjour. Quelle charmante boutique !

— Merci.

Après une brève poignée de main, la femme a regardé Allison comme si elles parlaient le même langage.

— Je m'appelle Ellen Carrouthers. Que puis-je faire pour vous ?

Allison a montré du doigt un étalage d'escarpins à talons aiguilles et a commencé à lui raconter d'une voix mielleuse qu'il lui fallait des chaussures pour un éventuel « bal de débutantes » — peu importe ce que c'était !

J'ai lancé un coup d'œil à Varina et nous avons échangé un sourire. Elle a hoché la tête, et je lui ai répondu en la hochant à mon tour : c'était le signal convenu pour passer à l'action.

D'un air détaché, j'ai fait le tour de la boutique qui, bien que petite, contenait des milliers de chaussures. J'ai vite trouvé ce que je cherchais : une paire de chaussures argentées identiques à celles qui s'étaient échappées de la valise de Geneva.

J'ai tapé sur l'épaule de Varina et lui ai indiqué les chaussures du doigt.

— Ce sont les mêmes ? a-t-elle chuchoté.

— Ouais. Au même prix astronomique.

— Trop coûteuses pour moi. Mais tout à fait le genre de Geneva.

Allison bavardait toujours avec la vendeuse. J'ai fait en sorte de croiser son regard et lui ai désigné les chaussures argentées d'un signe de tête. Comme convenu, Allison s'est déplacée jusqu'à l'endroit où nous nous tenions et a couiné d'un ton ravi :

— Oh ! Regardez-moi ces adorables petites choses argentées ! Tout à fait semblables à celles de ma chère amie Mme Victor.

— Vous connaissez Geneva Victor ? a demandé Mme Carrouthers avec un intérêt manifeste.

— Bien sûr. Qui ne la connaît pas ? a fait Allison avec son petit rire affecté. Bien que cela fasse une éternité que j'ai vu cette chère Geneva. Oh ! Ce serait un tel bonheur de la retrouver. Je n'ai pas la moindre idée de l'endroit où elle passe l'hiver cette année. Je me suis laissé dire qu'elle se trouvait au Mexique.

— Elle s'y trouvait peut-être, mais plus maintenant. Elle est venue ici hier. Vous l'avez manquée de PEU, a déclaré la vendeuse en haussant délicatement les sourcils.

— Elle est venue ici ! s'est écriée Allison sans chercher à dissimuler son excitation.

— Mais oui. Elle a de nouveau acheté ces mêmes chaussures argentées, car elle en avait apparemment perdu une et tenait à les porter au vernissage de la galerie La Brenz qu'elle parraine.

— Mais c'est formidable ! Il faut que je lui passe un coup de fil… malheureusement, je n'ai ni son adresse ni son numéro de téléphone.

— Quel DOMMAGE, a déploré Mme Carrouther en hochant la tête. J'aimerais vous aider, mais je ne suis pas autorisée à révéler des renseignements personnels touchant à nos clients.

— Pas même à leurs amis les plus CHERS ? a interrogé Allison avec une moue. Geneva sera catastrophée si elle découvre que j'ai voulu la joindre sans succès.

— Je suis navrée, mais les règles sont immuables, a répliqué Mme Carrouthers en plissant résolument les lèvres.

— Est-elle à son appartement sur la plage ? a insisté Allison.

— Je ne crois pas, mais je ne peux en dire davantage.

La vendeuse a souri.

— Aimeriez-vous essayer ces chaussures ? L'argent est une couleur qui vous irait à merveille.

J'ai vu la déception altérer l'expression d'Allison, mais je dois reconnaître qu'elle a réussi à donner le change. Elle a répondu à la vendeuse qu'elle adorerait en effet essayer ces chaussures, mais que sa taille — un 7½ AAA — n'était pas courante.

— Cela ne devrait pas poser de problème, a répondu la vendeuse d'une voix doucereuse. Je vais aller vérifier à l'arrière. Veuillez m'excuser.

Dès qu'elle eut disparu dans l'arrière-boutique, Allison s'est tournée vers Varina et moi.

— Nous n'avons pas beaucoup de temps. Des idées ?

— Si tu accaparais Mme Carrouthers, Eric et moi pourrions fouiller dans les fichiers, a avancé Varina en montrant du doigt un grand classeur en métal logé dans un coin retiré de la boutique.

— C'est sans doute sous clé, a rétorqué Allison. De plus, nous ne pourrons jamais nous en approcher sans nous faire remarquer.

— Je n'ai pas à en être proche pour les lire, ai-je dit.

— Que veux-tu dire? a demandé Varina en arquant les sourcils.

— Il va falloir que je me concentre, mais je pense réussir à voir à l'intérieur du classeur, ai-je déclaré en m'efforçant d'adopter un ton assuré, mais sans toutefois parvenir à chasser de mon esprit l'épisode du « loup ».

— Génial! s'est exclamée Varina.

— Excellente idée, a opiné Allison.

— Commençons par voir si ça fonctionne. Je vais avoir besoin de papier et de crayon pour noter les renseignements.

— Je vais te servir de carnet, a proposé Varina avec un sourire timide. Tu n'auras qu'à me chuchoter les renseignements et je vais les retenir.

— Ne t'arrive-t-il jamais d'oublier des trucs? ai-je demandé.

— Évidemment. Je suis encore en train d'apprivoiser mes pouvoirs.

— Ouais. Je sais ce que tu veux dire.

Mes lunettes ayant tendance à me glisser sur le nez, je les ai donc remises en place.

— Mais j'ai l'impression de faire constamment des gaffes.

— Je fais aussi des gaffes, surtout quand je me souviens de certains trucs. Les émotions intenses me mettent les bâtons dans les roues. Et parfois, je n'arrive pas à distinguer ce qui se produit maintenant de ce qui s'est déjà produit.

Sur ce, Mme Carrouthers est revenue avec trois boîtes de chaussures qu'elle a fièrement tendues à Allison.

Pendant que la vendeuse se consacrait à Allison, je me suis rapproché du classeur et j'ai retiré mes lunettes. « D'accord, voyons voir, » ai-je songé. J'ai croisé les doigts en souhaitant que mes pouvoirs ne me trompent pas cette fois.

J'ai fixé du regard le tiroir métallique étiqueté « R-Z ». Comme d'habitude, j'ai chancelé sous l'effet du vertige, mais Varina a posé la main sur mon épaule pour me stabiliser. « Concentre-toi, Eric », me suis-je ordonné. J'ai vu du métal gris, puis une succession de feuilles blanches. Les feuilles blanches se sont rapprochées jusqu'à ce que je puisse distinguer les caractères imprimés. Les noms identifiant les chemises se sont mis à défiler : Rapp, Sweeney, Swinehart, Smithee, Trent, Ullrich, Victor…

OUI ! J'avais trouvé ! Je me suis concentré fortement sur la fiche des Victor. Le dossier était épais et rempli d'un grand nombre de feuillets jaunes que j'ai imaginé être des duplicata de factures. J'ai fait le point, en quête d'une adresse ou d'un numéro de téléphone. J'ai trouvé le nom de Geneva, suivi de la ligne réservée à l'adresse, mais il s'agissait uniquement d'une boîte postale — celle que j'avais lue sur le permis de conduire.

— Tu as trouvé quelque chose ? ai-je entendu Varina chuchoter.

— Juste une boîte postale… Mais il y a autre chose.

— Quoi ?

— Un numéro de téléphone avec l'indicatif 408.

Je le lui ai rapidement dicté, puis j'ai chaussé mes lunettes.

— Ça se trouve à San José.

— Tu veux que je le répète ?

— Non. Je l'ai. Fais gaffe ! s'est écriée Varina en me saisissant le bras. La vendeuse et Allison viennent vers nous !

CHAPITRE 27

— Elles sont toutes si ravissantes! Je n'arrive pas
à me décider, déclarait gracieusement Allison,
tandis que la vendeuse la conduisait vers un
étalage de chaussures tout près de nous.

— Que pensez-vous de ces jolies ballerines
en suède?

Mme Carrouthers lui a désigné d'un geste
de la main une paire de chaussures de couleur
rouille, tout en nous lançant, à Varina et à moi,
un regard en coin inquisiteur. Mais voyant que
nous étions simplement là à ne rien faire, la
vendeuse a reporté son attention sur Allison.

— Aimeriez-vous les essayer? a demandé
la vendeuse.

— Je ne sais pas.

Allison a pris l'une des ballerines rouille, l'a
examinée un moment, puis l'a remise à sa place.

Varina s'est approchée d'Allison en secouant la tête.

— Non, Allison. Ce n'est pas ton style.

— Je le sais bien, mais elles sont si ravissantes. Je n'arrive pas à me décider.

Allison a fait la moue avec élégance.

— Je pense que je vais y réfléchir et revenir plus tard.

En entendant ces mots, Mme Carrouthers a paru déçue, mais pour ma part j'étais ravi de quitter la boutique.

— Je suis SI contente que tu aies déniché le numéro de Geneva, m'a dit Allison, en enjambant un bout de trottoir abîmé. Bravo, Eric.

— Merci. Un téléphone public, ai-je répondu en pointant de l'autre côté de l'étroite rue achalandée.

Nous avons attendu le feu vert, puis avons gagné la cabine de téléphone. Il n'y avait plus de bottin et les parois transparentes disparaissaient sous les autocollants et les graffitis.

— Le téléphone, c'est pas mon truc, ai-je déclaré. Allison devrait s'en occuper.

— Ouais, a acquiescé Varina, en repoussant ses boucles châtaines. Vas-y, Al. Si Geneva répond, elle ne reconnaîtra pas ta voix. Tu peux prétendre avoir quelque chose à vendre.

— Des clones, par exemple ? a-t-elle dit d'une voix taquine.

— Des organes de rechange ? ai-je gloussé.

— Ça suffit, vous deux ! a protesté Varina avec un frisson. Cela n'a RIEN d'amusant d'être un clone. Je ne comprends pas que vous puissiez en rire.

— Les plus grands comédiens pleurent dans leur for intérieur, ai-je fait remarquer. Rire fait du bien. Nous ne pouvons modifier ce que nous sommes, aussi bien en tirer le meilleur parti possible.

— Ouais, a acquiescé Allison qui, tout en marchant, tressait ses longs cheveux blonds, puis retirait son rouge à lèvres à l'aide d'un mouchoir en papier tiré de sa poche. C'est génial d'être forte. Mais ce qu'il y a de mieux dans le fait d'être un clone, c'est de vous avoir trouvés.

— Je suppose que tu as raison, a souri Varina. Je suis contente de vous avoir.

— Moi aussi, a déclaré Allison. Et comme ma famille craint dans les grandes largeurs, c'est doublement important pour moi d'avoir des amis comme vous.

— Les vrais amis sont rares, ai-je renchéri avant de jeter un coup d'œil en direction du téléphone. Tu le passes, ce coup de fil, Allison ?

— Bien sûr. Que dois-je dire ?

— Invente un truc. Tu t'es montrée géniale avec la vendeuse, a dit Varina. Tu vas bien trouver quelque chose.

— Je vais faire de mon mieux.

Allison a saisi le combiné et enfoncé une succession de touches, dont sans doute celles correspondant au numéro de sa carte téléphonique.

— Ça sonne ! a-t-elle annoncé d'une voix excitée. Une fois, deux fois, et… Bonjour, je suis Alicia Stonesilver des entreprises de services funéraires Repos éternel… Oh, oui, enfin *sí*. Euh… *habla*, euh, *señora* Victor ?

Allison a masqué le micro de la main.

— Je crois que c'est la femme de ménage. Quelqu'un parle espagnol ?

— Taco et enchilada ? a fait Varina en secouant la tête. Pas moi.

— J'ai étudié l'espagnol pendant deux ans au lycée, ai-je reconnu avant de saisir le combiné avec réticence. *Con quién habla ? Dónde está señora Victor[1] ?*

J'ai écouté la femme appelée Consuela répondre dans un espagnol chantant et rapide, mais je n'ai saisi que quelques phrases, faute de

---

1. N.d.T. Traduction libre : « À qui parlez-vous ? Où est madame Victor ? »

maîtriser assez la langue. Lorsque j'ai demandé à parler aux Victor, on m'a répondu :

— *No está aquí. Ellos fueren a su casa en Cabo San Lucas*[2].

Plutôt facile à comprendre.

Déçu, j'ai raccroché.

— La femme de ménage affirme qu'ils sont à leur maison de Cabo San Lucas.

— Au Mexique ? a demandé Varina.

— Ouais. C'est TROP frustrant, me suis-je écrié en serrant les poings et en luttant contre l'envie de cogner dans quelque chose. Encore une impasse.

— Ne t'en fais pas, Eric, m'a consolé Varina en me lançant un regard rempli de compassion. Nous ne lâcherons pas.

— Mais tous les indices ne nous mènent à rien. Je suis convaincu que Geneva est tout près d'ici. Il faut que je retrouve ma sœur. J'espérais vraiment annoncer de bonnes nouvelles à mes parents aujourd'hui.

— C'est une bonne idée de leur téléphoner, a suggéré Varina. Il faut qu'ils sachent que tu cherches toujours. Cela leur fera du bien, et à toi aussi.

Je me suis frotté la tête, puis ai poussé un soupir très profond et très las.

2. N.d.T. Traduction libre : « Elle n'est pas ici. Ils sont partis à leur maison de Cabo San Lucas. »

— Tu crois?

— Ouais, a affirmé Varina, et Allison a opiné.

J'ai donc saisi le combiné et ai enfoncé les touches. Au souvenir de ma dernière conversation avec mon père, je me suis crispé, redoutant d'autres cris et encore une discussion orageuse. Mais lorsque mon père a décroché, il a paru si soulagé et heureux de m'entendre que ma voix s'est étranglée.

— Eric! Tu vas bien?

— Ouais. Mais… je ne l'ai pas retrouvée.

Ma voix s'est un légèrement brisée.

— Mais j'ai essayé, papa, vraiment. Mais rien ne marche. Je suis désolé.

— Tu n'as pas à être désolé, fiston, a fait mon père d'une voix rauque. Tu as fait de ton mieux. Mais il n'est plus nécessaire que tu recherches ta sœur en Californie. Rentre à la maison.

— Pourquoi? ai-je demandé, le cœur battant la chamade. Que s'est-il passé?

— Nous avons du nouveau.

La voix de mon père était forte et remplie d'espoir.

— Eric, nous avons eu des nouvelles de Kristyn.

CHAPITRE 28

Los Angeles, Californie

Serena se hâtait vers le café, ses pas martelant allègrement le sol. Elle était impatiente d'annoncer la grande nouvelle. UNE NOUVELLE ÉPOUSTOUFLANTE ! C'est à peine si elle parvenait à se maîtriser tant elle se sentait énergique et joyeuse.

Elle a repéré le mec blond, Chase Rinaldi, dans le café. Tout en sachant que c'était une erreur, elle n'a pu s'empêcher de le trouver attirant. Il était encore plus séduisant que dans son souvenir. D'une certaine façon, elle aurait bien aimé ne pas devoir lui mentir.

Elle pouvait toutefois lui révéler quelques vérités, à commencer par la nouvelle que venait de lui annoncer Slam.

— Devine? a-t-elle lancé en prenant place sur une chaise à côté de Chase et en oubliant les salutations habituelles.

— Tu as retrouvé Sandee Yoon?

— Non, a-t-elle répondu en balayant la question de la main. Sandee, c'est de l'histoire ancienne — là, il s'agit de quelque chose de NOUVEAU et d'EXCITANT. Et il faut que je le dise à quelqu'un.

— Je suppose que je dois en être flatté? a-t-il badiné d'un ton léger.

— « Honoré » serait un terme plus juste, a-t-elle rétorqué, incapable de se retenir de lui lancer un regard charmeur et de hausser les sourcils.

— Ne devrais-je pas d'abord commander quelque chose à manger?

— Cela ne peut pas attendre.

— Vas-y, a-t-il dit avec un sourire. Ouvre le feu.

— Hier soir, après la représentation, Slam m'a écoutée chanter. Vraiment écouter! Il m'a dit que j'avais l'étoffe d'une vedette, qu'il allait veiller à ce que j'enregistre une chanson, me trouver un agent, et parler de moi à des grosses légumes de l'industrie!

Elle en avait le vertige. Au bout de tout ce temps, après l'avoir tant voulu et tant désiré, voilà que ça y était.

— Je suppose que je devrais te demander un autographe maintenant, avant que tu sois une grande vedette, l'a taquinée Chase. Félicitations, Serena.

— Merci! Mais je ne peux pas rester pour le petit déjeuner, je dois aller me préparer, car Slam m'amène au studio d'enregistrement!

— Mais tu ne m'as pas encore parlé de Sandee Yoon.

— Oh. Elle.

Serena a ressenti un pincement de jalousie à l'endroit de son ancienne identité, puis elle s'est soudainement demandé avec une VIVE curiosité pourquoi Chase la recherchait. Après avoir jeté un coup d'œil à sa montre, elle a décidé de rester encore quelques minutes.

— C'est quoi, cette histoire au sujet de Sandee? a-t-elle interrogé en glissant les pieds sous sa chaise et en entendant son bracelet de cheville tinter contre la patte.

— Je dois parler à Sandee personnellement, a déclaré Chase. Contente-toi de me dire où elle est.

— Euh… elle est partie avec un autre groupe. Ouais, elle a rencontré un batteur et elle l'a suivi. Je crois qu'elle est à Sacramento maintenant.

— Quel groupe ? a-t-il demandé avec empressement.

— Dis-moi d'abord pourquoi. Tu as l'air d'un type bien, mais comment savoir si tu n'es pas cinglé ou pervers ?

— Tu ne le peux pas. Je te demande de me faire confiance.

Ses yeux clairs se sont assombris, et Serena a frissonné. Waouh, ce type était intense. Cela l'a intriguée.

Il était toutefois hors de question qu'elle lui révèle qu'elle était Sandee. Serena était une future grande vedette, Sandee était une perdante.

— Sandee se trouve avec les Tyrants, a-t-elle menti. Si elle communique avec moi, je lui transmettrai le message.

— Je dois lui parler en personne ou pas du tout.

— Il est probable qu'elle ne voudra même pas te parler.

— Elle le voudra lorsque je lui aurai expliqué certaines choses. Je sais des trucs concernant sa naissance, avant qu'elle ait été confiée à une famille d'accueil. Dis-le-lui et demande-lui de me téléphoner sur mon portable.

— TU SAIS DES TRUCS SUR SA NAISSANCE? s'est écriée Serena en manquant tomber de sa chaise.

— Je sais plein de trucs, a affirmé Chase en plantant ses yeux dans ceux de Serena. Te souviens-tu si Sandee a un drôle de tatouage à la cheville?

Serena s'est presque étranglée. Pour dissimuler sa surprise, elle a vite répondu :

— Euh, ouais. Elle a des petits chiffres à la cheville. Dans le but de les masquer, elle m'a même demandé de lui confectionner une bande de cheville en argent comme la mienne. Elle ne la retire jamais.

— Ça se comprend, a fait Chase en hochant la tête. J'ai un tatouage semblable à la cheville. Est-ce que Sandee a des talents… inhabituels?

— Comme quoi? s'est enquise Serena qui a ensuite jeté un coup d'œil dans le hall de l'hôtel et y a vu un visage connu. OH, REGARDE! C'est Slam! Le type dont je t'ai parlé.

Chase s'est retourné, en inclinant la tête de côté.

— Le grand type avec un anneau à la narine et une moustache?

— Ouais. Mais je ne connais pas le mec aux cheveux longs qui est avec lui.

— C'est bizarre, car ils discutent de TOI.

— Vraiment? a fait Serena en observant les deux hommes conversant dans le hall — à quelque quinze mètres de là. Mais comment le sais-tu? Tu lis sur les lèvres ou quoi?

— Un truc dans ce genre. Slam vient d'affirmer « C'est dans la poche avec Serena ».

— Ooooh! Ce type aux cheveux longs travaille peut-être pour une compagnie de disques! s'est écriée Serena. Quoi d'autre?

Chase a regardé fixement les types, en penchant la tête comme s'il pouvait réellement entendre leur conversation — ce qui, bien entendu, était impossible, s'est dit Serena. Elle a attendu qu'il lui en dise davantage, mais, soudain, il s'est renfrogné et lui a saisi le bras.

— Viens, Serena.

— Que se passe-t-il?

— On s'en va, a-t-il déclaré avec brusquerie. Slam est une crapule.

— Non, il n'en est PAS une! Il va faire de moi une vedette!

— Je ne crois pas.

— Mais Slam m'a promis de me décrocher un contrat avec un grand studio.

— Il est bel et bien question de contrat, mais pas du genre dont tu rêves.

— Qu'est-ce que ça veut dire ?

— Slam n'est PAS ton ami. Il vient d'offrir de l'argent au type à cheveux longs afin qu'il s'occupe de toi. D'une façon permanente.

La voix de Chase s'est transformée en chuchotement.

— Ton ami Slam veut ta MORT.

CHAPITRE 29

— Vous avez eu des nouvelles de Kristyn? ai-je demandé à mon père en serrant encore plus fort le combiné.

— Oui, Eric, a répondu mon père. Kristyn a téléphoné à son amie Robin hier soir. Elle lui a dit qu'elle avait fait la connaissance d'un jeune homme par le biais de l'Internet et qu'elle était allée le retrouver.

— C'est IMPOSSIBLE! me suis-je exclamé, à la fois indigné et soulagé. Kristyn n'a même pas de messagerie électronique. Elle utilise la mienne lorsqu'elle veut naviguer sur le Web.

— C'est pourquoi la police a demandé à un spécialiste de vérifier ton ordinateur.

— MON ORDINATEUR! Tu les as autorisés à prendre mon ordinateur!

— Eric, ils ne vont pas l'endommager, a fait mon père qui semblait à bout de forces. Kristyn n'est toujours pas rentrée. La retrouver est tout ce qui importe en ce moment. Elle n'a pas voulu dire à Robin où elle se trouvait. Elle lui a juste dit qu'elle était avec un ami et qu'elle rentrerait quand elle le jugerait bon.

— Voyons donc! Cela ne lui ressemble pas.

— Ta mère et moi avons également de la difficulté à l'accepter.

Puis, il a calmement ajouté :

— Eric, tu dois rentrer à la maison. Je vais te réserver un billet d'avion.

— D'accord, papa.

Nous avons pris des arrangements, puis j'ai raccroché. Lorsque je me suis tourné, j'ai vu qu'Allison et Varina m'observaient.

— Kristyn va bien? s'est empressée de demander Allison.

— Je suppose. Elle a téléphoné à sa meilleure amie pour lui dire qu'elle allait bien.

Je leur ai rapidement relaté les propos de mon père tout en cherchant à les démêler et à en comprendre le sens.

Robin ne se laisserait pas tromper par quelqu'un imitant la voix de Kristyn, ai-je raisonné, donc Kristyn allait sans doute bien. Mais pourquoi avait-elle téléphoné à Robin et non pas à la maison? Bien entendu, nos téléphones étaient sans doute sur écoute. Kristyn y avait peut-être songé et ne souhaitait pas qu'on la retrouve.

Cependant, je n'arrivais pas à croire que ma sœur s'était enfuie pour aller retrouver un inconnu. Kristyn se montrait parfois impulsive et insupportable, mais JAMAIS sournoise ni malhonnête. Et pourquoi serait-elle partie AVANT le défilé qu'elle attendait avec impatience, et non pas APRÈS?

Très troublant.

— Je dois me rendre à l'aéroport de San Francisco, ai-je dit à mes amies. Il est clair que ma présence ici n'est pas utile à ma famille. Il vaut mieux que je rentre.

— Que tu renonces, tu veux dire? m'a repris Varina d'un ton accusateur.

— Rentrer, ce n'est PAS renoncer, ai-je rétorqué, atteint par ses paroles comme par un coup en plein ventre. Même si Geneva Victor est venue chez nous déguisée en vieille femme, cela ne veut pas dire qu'elle et Mitch ont enlevé ma sœur. Kristyn est peut-être réellement avec un ami dont elle aurait fait la connaissance sur le Web. Venir ici n'a été qu'une perte de temps pour tout le monde, y compris pour moi.

— Eric, tu as tort, a déclaré Allison en secouant sa tête blonde. Se porter au secours de quelqu'un n'est jamais une perte de temps.

Varina a opiné en se frottant pensivement le menton.

— En plus, j'ai un mauvais pressentiment au sujet de Kristyn. Je crois qu'elle est toujours en danger.

Sachant que Varina avait été dotée de pouvoirs mentaux exceptionnels, ces paroles m'ont fait frissonner. Son « mauvais pressentiment » n'était pas un truc à ignorer.

Nous sommes restés tous les trois plantés sur le trottoir, mal à l'aise, tandis que les voitures défilaient devant nous. Pendant un moment, nous sommes restés silencieux. Le soleil brillait avec éclat et une foule de gens insouciants roulaient vers la plage ou vers la promenade. J'aurais voulu être en vacances avec ma famille, et avec Kristyn.

Mais le fait de le souhaiter n'allait pas rendre la chose réelle.

Et traîner ici n'allait pas me rapprocher de ma sœur. Rentrer à la maison était la meilleure solution.

— Tout ce voyage a été un échec. Fiez-vous à Eric l'empoté pour tout faire foirer, ai-je dit amèrement.

Frustré, j'ai frappé de la main l'une des parois de la cabine téléphonique, déplaçant du coup les réclames et les affiches.

— Les indices que j'avais en mains ne nous ont menés nulle part et, là, je n'en ai plus d'autres.

Varina a froncé les sourcils, tandis qu'Allison redressait une réclame qui s'était détachée.

— Eric, Varina! REGARDEZ ÇA! s'est-elle écriée. NOUS AVONS un nouvel indice.

— Quoi? avons-nous demandé.

— Regardez cette réclame!

J'ai regardé, puis j'ai fait la grimace devant une réclame proposant une méthode pour perdre rapidement vingt kilos.

— Une réclame pour perdre du poids? ai-je interrogé avec scepticisme.

— Pas CETTE réclame, a fait Allison en désignant un feuillet jaune pâle annonçant un vernissage.

— Et puis après? ai-je dit en haussant les épaules. Ce vernissage n'aura pas lieu avant trois semaines.

— Tu ne saisis pas? a insisté Allison dont le regard excité naviguait de Varina à moi. C'est le vernissage de la galerie La Brenz.

Je ne saisissais toujours pas, mais le visage de Varina s'est éclairé.

— LA BRENZ! C'est la galerie d'art que, selon Mme Carrouthers, Geneva Victor parraine.

— Précisément, a fièrement déclaré Allison. Et elle n'est qu'à quelques pâtés de maisons d'ici.

— Alors, qu'attendons-nous? s'est écriée Varina. Allons-y.

J'ai ouvert la bouche pour déclarer que je voulais juste grimper dans un avion et retourner chez moi, que j'étais écœuré et fatigué de poursuivre les Victor, mais avant que j'en aie eu la chance, une sonnerie stridente a retenti depuis le sac à main de Varina.

— Mon portable, a expliqué Varina en extirpant son téléphone et en le dépliant d'un claquement. Puis, elle a poussé un petit cri de joie et s'est exclamée :

— C'est Chase!

CHAPITRE 30

Los Angeles, Californie

Serena n'arrivait pas à croire que Chase pouvait lire sur les lèvres à une telle distance, et moins encore que Slam voulait la faire assassiner. Mais lorsque Chase lui eut rapporté d'autres paroles de Slam, dont la mention d'un « cercueil sur le toit », Serena a pris peur.

Chase ne pouvait PAS connaître l'existence du cercueil sur le toit, a-t-elle raisonné, sauf s'il disait la vérité. Soudain, tout s'est mis en place. Slam s'était rendu sur le toit parce qu'il était complice de la mort de Ravage !

— Il faut que tu fiches le camp d'ici, lui a déclaré Chase, les yeux fixés sur les deux hommes qui poursuivaient leur conversation. Nous n'avons pas beaucoup de temps.

— Mais… je ne peux pas partir… Slam était censé me donner la chance de devenir une vedette…

— Il t'a menti. Il veut ta mort parce que tu sais quelque chose ; un truc qu'il ne souhaite que tu racontes.

— Le cercueil. J'ai vu le corps, ai-je dit gravement.

— Un cadavre ?

Chase lui a lancé un regard stupéfait, puis lui a saisi la main et l'a entraînée vers une porte latérale.

— Viens. Tu me raconteras tout ça en route.

Serena a regardé Slam dont l'expression s'assombrissait au fil de sa discussion avec le type aux cheveux longs. Ni l'un ni l'autre ne souriait et leur langage corporel trahissait l'intensité de leur échange. Elle a compris que Chase avait raison. Elle était VRAIMENT dans le pétrin — plus qu'elle ne l'avait jamais été.

Pourtant, elle ne se sentait pas prête à remettre sa vie entre les mains de Chase — un pur inconnu.

— Pourquoi veux-tu m'aider ? lui a-t-elle demandé.

— Il faut une raison ?

— Sans déconner?

Serena a roulé les yeux, on aurait dit que ce type ne connaissait rien à la vraie vie.

— Personne ne fait rien sans raison.

— Je suis peut-être différent.

Sa bouche formait un trait tendu, et il a détourné le regard comme si un truc auquel il pensait le perturbait.

— Allons-y.

— Où? a-t-elle demandé puis, après un dernier regard vers Slam, elle est sortie du café à la suite de Chase par une porte latérale.

— Dans ta famille ou chez des amis. En lieu sûr.

— Je n'ai pas de famille et je croyais que Slam était mon ami.

« Ne montre pas que tu souffres, a-t-elle songé en luttant contre les larmes. Avance. »

— Il faut que je récupère mes affaires avant, a-t-elle fait remarquer à Chase en entrant dans l'ascenseur et en enfonçant le bouton correspondant à son étage.

— D'accord. Mais fais vite.

Chase a extirpé un portable de sa poche.

— Pendant que tu fais tes bagages, je vais appeler des amis. Ils vont nous aider.

Serena aurait voulu lui demander pourquoi ses amis se porteraient à son secours, mais muette de frayeur, elle s'est contentée de hocher la tête.

Le timbre de l'ascenseur leur a signalé leur arrivée. Quelques minutes plus tard, ils se retrouvaient à l'intérieur de la chambre de Serena en train de fourrer des vêtements, des perruques, des produits de maquillage, des CD et d'autres trucs dans une valise en toile, à fleurs, usée à la corde.

Heureusement, Amishka dormait encore. Elle sortait rarement du lit avant midi.

« Adieu, Mish, a songé Serena avec une pointe de tristesse. Tu m'agaçais drôlement parfois, mais tu étais mon unique amie et tu vas me manquer. »

Ils ont ensuite quitté la chambre, emprunté l'ascenseur jusqu'au hall de l'hôtel, les portes se sont écartées et Serena s'est brusquement retrouvée devant Slam, tout étonné.

— Serena? a fait le chanteur, ahuri, son regard naviguant de la jeune fille à Chase puis à la valise. Que se passe-t-il?

— Rien du tout! a-t-elle sèchement rétorqué avant de saisir l'expression alarmée de Chase.

Sans laisser à Slam le temps de réagir, ils se sont rués en direction opposée, Chase portant la valise d'une main et entraînant Serena de l'autre.

— Ma camionnette est de ce côté! a fait Chase. VITE!

Esquivant des petits groupes de personnes, des piles de valises et des employés abasourdis, ils ont couru jusqu'aux doubles portes de verre donnant sur une aire de stationnement latérale.

Serena courait vite pour rester à la hauteur de Chase; excitée, terrifiée, mais à peine essoufflée. Ses poumons, ceux-là mêmes qui lui permettaient de pousser la note la plus haute et de la tenir une éternité, lui procuraient assez d'énergie pour maintenir le rythme.

— La camionnette rouge! a crié Chase, le doigt tendu, en sprintant autour des voitures garées.

Plongeant la main dans sa poche, il en a extirpé un trousseau de clés.

Serena s'est précipitée vers la camionnette rouge nantie d'une coque de camping et s'est lancée sur la portière du passager. Chase a déverrouillé sa portière, a sauté à l'intérieur et a tendu le bras pour lui permettre de grimper à son tour.

Tout en sautant d'un bond sur le siège de cuir, elle a regardé par-dessus son épaule, et a vu Slam et le type aux cheveux longs courir vers eux. Quel était donc ce truc noir dans la main de Slam? Un REVOLVER?

— ILS SONT DERRIÈRE NOUS! a crié Serena, agrippée au tableau de bord. Grouille!

— C'EST CE QUE JE FAIS! a gueulé Chase en enfonçant brutalement la clé dans le contact.

La camionnette a rugi.

— Accroche-toi!

La camionnette s'est élancée en avant en brûlant la chaussée dans un crissement de pneus et, le cœur battant, Serena s'est envolée vers un avenir incertain en compagnie d'un parfait inconnu.

CHAPITRE 31

Varina a raccroché, puis s'est tournée vers Allison et moi. Elle avait les joues rouges et ses yeux verts brillaient d'excitation.

— C'était Chase. Il a trouvé une amie de Sandee, mais il y a un problème.

— Quoi ? ai-je demandé en me dandinant nerveusement sur le trottoir.

— Je ne sais pas, a répondu Varina avec un haussement d'épaules. Elle s'appelle Serena et elle a besoin d'aide. J'ai dit à Chase que nous avions également besoin d'un coup de main. Donc, il s'en vient.

— Il vient à Monterey ? a interrogé Allison, étonnée.

Varina a hoché la tête, un grand sourire aux lèvres.

— Il ne sera pas ici avant quelques heures, mais je lui ai dit que nous irions déjeuner et traîner sur la promenade. Puis, nous le retrouverons à la galerie La Brenz.

— Nous allons l'attendre ? ai-je grommelé.

Puis, entendant mon estomac gronder, j'ai jugé l'idée excellente.

Nous nous sommes donc rendus sur la promenade où nous avons trouvé des stands de restauration en plein air offrant de la soupe de palourdes, du crabe, des crevettes et d'autres fruits de mer. Après avoir cassé la croûte à une petite table sous un auvent, nous avons flâné dans les boutiques et sur la plage. Allison, ayant roulé le bas de son jean, s'est courageusement aventurée dans l'eau, puis s'est mise à trembler de froid. J'ai éclaté de rire et me suis précipitamment baissé lorsqu'elle m'a aspergé d'eau.

Nous avons continué à nous éclabousser jusqu'à ce que nous soyons complètement trempés. Puis, nous avons erré sur la plage, histoire de nous sécher, et nous nous sommes assis sur un tronc d'arbre devant l'océan écumant.

Nous nous sommes détendus en silence pendant un moment, jusqu'à ce qu'Allison me pousse du coude et me chuchote à l'oreille :

— Regarde l'expression rêveuse de Varina.

— Euh ?

— Elle pense à Chase. J'en suis certaine.

— Tu lis dans les pensées ? l'ai-je taquinée.

— Non. Mais je suis une fille, a-t-elle fait en riant doucement. Et, crois-moi, Varina en pince DRÔLEMENT pour Chase. J'espère que lui aussi.

— Tu en doutes ?

— Va savoir ! Avec Chase, ce n'est pas évident.

J'ai hoché la tête, feignant de comprendre. Mais, sur le plan amoureux, j'étais nul. J'avais eu le béguin pour quelques filles à l'école, et certaines avaient eu le béguin pour moi, mais d'ordinaire je gâchais tout en me comportant comme un clown ou en proférant des stupidités.

Le bruit calmant des vagues a apaisé mon angoisse et mes paupières se sont closes. C'était si relaxant, par ici…

Le temps a filé, puis soudain, Allison m'a tapé sur l'épaule et je me suis réveillé en sursaut.

— Il est temps de nous rendre au musée, a déclaré Allison.

— Ouais, a acquiescé Varina en regardant sa montre. Chase nous y retrouvera d'ici une heure. Et il nous faudra environ trente minutes de marche pour nous rendre.

— OK, ai-je marmonné, et je me suis levé en bâillant et en m'étirant.

Après un dernier regard pour le majestueux Pacifique turquoise, je me suis dirigé vers les marches de bois conduisant à la rue.

La galerie La Brenz n'a pas été facile à dénicher. Nous avons tourné dans la mauvaise direction à quatre reprises avant de buter contre la bâtisse tarabiscotée de deux étages située dans une impasse. Et même alors, nous n'étions pas certains de nous trouver au bon endroit. Aucune enseigne, aucune inscription ne proclamait qu'il s'agissait d'une galerie d'art. Il n'y avait qu'une petite plaque portant l'adresse près de la porte.

— Ce doit être là, a dit Allison en consultant le plan qu'elle avait acheté sur la promenade. Mais l'endroit semble si désert.

— Un endroit désert dans une rue déserte, a dit Varina d'une voix lugubre.

— Aucune voiture devant la galerie, ai-je fait remarquer en repoussant mes lunettes. Pas d'éclairage non plus. Que fait-on ?

— On fouille, a déclaré Allison en inclinant la tête vers moi. Tu es prêt à entrer, Eric ?

— Bien sûr, ai-je répondu en faisant le brave.

— Nous devrions attendre Chase, a dit Varina.

— Pas la peine, a rétorqué Allison. L'endroit est désert, il n'y a donc pas de danger. Tu peux l'attendre à l'extérieur et vous viendrez nous rejoindre lorsqu'il arrivera.

Varina semblait mal à l'aise, mais elle s'est néanmoins inclinée, et Allison et moi nous sommes dirigés vers la galerie.

— La fenêtre de droite, à l'étage, est entrouverte, a fait remarquer Allison. Je vais te hisser jusqu'à elle, puis je vais grimper derrière toi.

J'ai hoché la tête, sachant qu'elle pouvait soulever nettement plus que mon poids grâce à sa force exceptionnelle.

— Je vois très bien dans le noir, ai-je dit, ravi d'être également doté d'un super pouvoir. Lorsque nous serons à l'intérieur, il te suffira de me suivre.

— D'accord, a répondu Allison d'une voix pleine d'excitation comme si nous étions sur le point de monter à bord d'un des manèges extrêmes de la promenade.

En regardant derrière, j'ai vu Varina debout dans l'ombre de la bâtisse d'en face. Elle a agité la main et levé le pouce.

J'ai gagné le côté de la grande bâtisse grise en avançant avec précaution sur le sol inégal et parsemé de toutes sortes de rebuts. Je me suis arrêté sous la fenêtre entrouverte. Elle se trouvait à plus d'un mètre au-dessus de moi. Mais, après s'être penchée pour me soulever par les chevilles, Allison m'a aisément propulsé bien au-dessus de sa tête. Allongeant les bras, j'ai saisi l'appui de la fenêtre et me suis hissé à l'intérieur.

OUI! J'avais réussi! D'un bond prodigieux, Allison est venue me rejoindre. Nous étions tous deux à l'INTÉRIEUR!

Je me suis penché par la fenêtre pour faire signe à Varina, mais, lorsque j'ai baissé les yeux vers elle, j'ai aperçu un truc alarmant.

Une voiture se rangeait le long du trottoir — une berline beige conduite par une petite femme aux cheveux sombres.

Je l'ai reconnue sur-le-champ.

Geneva Victor arrivait.

CHAPITRE 32

Au départ de Los Angeles, Californie

Serena s'est enfoncée sur son siège et a coulé un regard curieux vers Chase. Ses lèvres dessinaient un trait dur, ses yeux bleu-gris étaient fixés sur la route.

— Où allons-nous ? a-t-elle demandé calmement, sans vraiment s'en soucier, trop heureuse d'être toujours en vie.

— À Monterey.

— Tes amis s'y trouvent ?

— Ouais. Aujourd'hui, du moins, a-t-il affirmé tout en continuant à tenir le volant d'une main ferme, l'air de maîtriser la situation et de savoir où il allait.

— Pourquoi devons-nous aller les retrouver ? Je préférerais rester avec toi.

— Je ne crois pas, lui a-t-il lancé, sourcils froncés, en lui jetant un coup d'œil. J'ai de gros problèmes à régler.

— Tu es très mystérieux, a-t-elle répondu en lui adressant un lent sourire ensorceleur. J'aime les types mystérieux. Parle-moi de toi.

— Il n'y a pas grand-chose à raconter.

Il a haussé les épaules.

— J'habitais à Reno, mais plus maintenant. J'avais des parents formidables, mais plus maintenant. J'aime l'escalade et la bouffe chinoise, et je n'aime pas qu'on m'interroge.

Elle était encore plus intriguée. Et elle ne pouvait détacher les yeux de ses traits durs et ciselés. Elle a résisté à l'envie de caresser du doigt ses pommettes, son nez, ses mâchoires. Elle a plutôt croisé les mains en ajoutant :

— Je n'aime pas non plus qu'on m'interroge. Mais je dois tout de même t'expliquer pourquoi ces types me courent après.

— Un truc en lien avec un cercueil ?

— Ouais. Tu ne me croiras sans doute pas, mais j'ai vu découvert un cercueil renfermant un cadavre. Le cadavre était celui de Ravage.

— LE Ravage ? a-t-il demandé.

— Ouais. LE Ravage. Il y a pire encore.

Et Serena lui a tout raconté.

À la fin de son récit, Chase a hoché la tête.

— Si je comprends bien, Ravage et Slam font partie du complot. Pas étonnant qu'ils veulent ta mort. Si tu racontes l'histoire aux journalistes, on va relever les empreintes et découvrir la vérité.

— Mais je ne suis pas une moucharde, a dit Serena en soupirant tristement. Et je ne savais vraiment pas quoi faire. J'étais beaucoup trop troublée pour communiquer avec la police.

D'une voix douce qui a fait bondir le cœur de Serena, Chase a déclaré :

— Ne t'inquiète pas, je vais t'aider. Je ne suis pas Slam. Je te promets que je ne te laisserai pas tomber.

— Merci. Ça compte beaucoup pour moi.

Elle s'est demandé si elle ne devait pas lui révéler la vérité. Il lui avait sauvé la vie, et elle continuait à lui mentir. C'était mal de le laisser chercher Sandee Yoon alors qu'il l'avait d'ores et déjà trouvée.

Mais si Chase découvrait qu'elle n'avait que quinze ans et était une fugueuse, elle risquait de perdre tout intérêt à ses yeux. Elle sentait bien qu'elle lui plaisait : sa façon de la regarder, de lui toucher doucement la main, sa sincérité.

Mais Sandee Yoon, la plouc, lui plairait-elle autant ?

Non. Bien sûr que non.

Serena a poussé un soupir.

Kilomètre après kilomètre, elle a poursuivi son débat entre la vérité et le mensonge. Chase ne parlait pas beaucoup, il conduisait en silence. Serena avait mal à la tête et elle a fermé les yeux un moment.

À son réveil, Chase lui a annoncé qu'ils étaient arrivés à Monterey.

Serena n'avait plus le temps de tergiverser. Lorsqu'ils auraient retrouvé les amis de Chase, elle n'aurait plus l'occasion de lui parler privé-ment. Peu importe la raison pour laquelle il souhaitait retrouver Sandee, il méritait de connaître la vérité.

— Chase, j'ai un truc à te dire, a commencé Serena en se tordant les doigts et en inspirant profondément.

— D'accord, a-t-il fait en ralentissant à un arrêt. Quoi ?

— C'est important.

Elle a de nouveau inspiré profondément.

— Je… je n'ai pas été honnête.

— Tu n'as pas découvert de cercueil ?

— Non, ça, c'est vrai. C'est autre chose…

— Voici le tournant ! a fait Chase en montrant du doigt une plaque de rue, puis en négociant un virage serré qui a projeté Serena contre la portière. Navré. Que disais-tu ?

Elle a hésité, la peur lui bloquant les mots dans la gorge. Puis, elle a haussé les épaules.

— Cela peut attendre que nous ayons atteint notre destination.

Il n'a pas répondu, trop concentré sur un plan et les plaques de rue. Il lui a fallu presque vingt minutes avant de trouver la rue qu'il cherchait.

— Ce doit être cet entrepôt de deux étages, a-t-il marmonné en repoussant le plan.

— Tu en es sûr ? a demandé Serena. Ça semble SI désert. Il n'y a qu'une voiture garée devant.

Chase s'est rangé derrière la voiture en question et a éteint le moteur. Soudain, il a relevé la tête comme s'il avait perçu un bruit. Et il s'est tourné pour regarder quelqu'un qui venait vers lui.

— VARINA ! s'est-il écrié avec un grand sourire.

Il a brusquement ouvert la portière et s'est élancé vers une jeune fille aux cheveux roux.

Serena est tranquillement demeurée assise à observer la fille qui poussait des cris de joie et enlaçait Chase. Elle l'étreignait fortement — beaucoup TROP fortement, de l'avis de Serena.

— Oh, Chase! s'est écriée Varina. Je suis si contente que tu sois ici! Tu m'as TANT manqué, et puis un truc horrible s'est produit.

Serena s'est crispée, les paroles de Varina résonnant dans son esprit : « Tu m'as TANT manqué. » Était-elle la petite amie de Chase?

— Ça va? a demandé Chase à Varina, en l'étreignant et en lui caressant les cheveux avec douceur et familiarité. Que s'est-il passé?

— Geneva Victor est ICI! s'est exclamée Varina. Et Allison et Eric sont à l'intérieur avec elle. Nous devons les secourir!

Chase et Varina se sont précipités vers la bâtisse sans un regard vers Serena.

Serena brûlait de jalousie. Chase l'avait complètement oubliée. Il lui avait assuré qu'elle pouvait compter sur lui et voici qu'il se sauvait avec une autre. Il avait menti! Elle ne pouvait pas compter sur lui — ni sur personne d'ailleurs, uniquement sur elle-même.

Eh bien, Chase allait s'en MORDRE les doigts, s'est-elle juré. Qu'il reste avec sa précieuse Varina, mais il ne retrouverait jamais Sandee. Serena n'allait perdre son temps à attendre un abruti indigne de sa confiance.

Elle se cassait.

CHAPITRE 33

— Eric, tu connais cette femme? m'a demandé Allison en pointant le doigt par la fenêtre.

— C'est Geneva Victor, ai-je répondu en hochant sombrement la tête.

— C'est ELLE? Mais elle semble SI inoffensive. On dirait une gentille bibliothécaire ou une enseignante de la maternelle. Je ne l'avais jamais vue de près. Je l'imaginais avec un regard diabolique et le visage grimaçant d'une sorcière.

— Ne te laisse pas tromper par son apparence. À l'intérieur, c'est une vraie sorcière. À ses yeux, nous ne sommes qu'un moyen de faire encore plus d'argent.

J'ai saisi Allison par la main et l'ai éloignée de la fenêtre.

— Viens, dépêchons-nous.

— Ouais, a-t-elle dit en hochant gravement la tête.

À ma grande surprise, sa main était moite et son pouls rapide. Se pouvait-il qu'Allison soit effrayée ? Elle semblait toujours si forte et assurée — mais elle jouait peut-être la comédie.

Nous avons quitté la petite pièce de l'étage supérieur et descendu l'escalier sur la pointe des pieds. Une odeur prononcée de peinture à l'huile et de térébenthine flottait dans l'air et des douzaines de tableaux représentant des paysages marins aux couleurs vives étaient appuyés contre les murs.

— Devrais-je me servir de ma vision pour explorer l'endroit ? ai-je demandé en chuchotant à Allison.

— Vas-y, a-t-elle répondu.

Je lui ai tendu mes lunettes et ai posé les mains au mur pour conserver l'équilibre. J'ai tout de suite été envahi par le vertige et par un tourbillon d'images floues. J'ai vacillé sur mes jambes et j'aurais sans doute dégringolé les marches si Allison ne m'avait pas retenu de ses mains puissantes.

— Ça va ? l'ai-je entendue interroger, mais j'étais incapable de lui répondre.

J'ai fait le point sur le plancher, me forçant à voir à travers le bois et les murs. C'était différent cette fois-ci. Des couleurs lumineuses tournoyaient et troublaient ma vision. J'avais l'impression de regarder dans un kaléidoscope, des éclats bleus, verts, orangés, jaunes et rouges s'enroulaient et se fondaient les uns aux autres

Que se passait-il ?

Plus je m'efforçais de voir par-delà les murs compacts, plus les couleurs agressaient mes sens. Et l'odeur de la térébenthine s'intensifiait, me donnait la nausée et m'affaiblissait.

— Ça… ne marche pas, ai-je marmonné. Mes… mes lunettes.

J'ai déplié les doigts et tendu le bras vers Allison.

— Donne… moi… mes… lunettes.

J'ai senti les doigts d'Allison sur mon visage, puis le métal froid de mes lunettes. Inspirant profondément, j'ai fermé les yeux, puis les ai lentement rouverts. Le visage soucieux d'Allison a envahi mon champ de vision, et j'ai poussé un soupir de soulagement. Je me sentais mieux.

— Que s'est-il passé ? a voulu savoir Allison.

— Je ne sais pas.

Je me suis frotté les yeux.

— Ça n'a jamais été aussi intense. Je n'apercevais que des couleurs éclatantes, et l'odeur de la térébenthine m'a presque fait suffoquer.

— Peut-être que ces couleurs venaient des tableaux, a fait Allison en montrant d'un geste les piles de tableaux nous entourant.

— Peut-être, mais c'est étrange. Enfin, je peux voir à travers un classeur fait de métal épais, mais pas à travers de la peinture à l'huile.

— Tous ces pouvoirs de clones sont bizarres : ma force, la mémoire de Varina, l'ouïe de Chase et ta vision.

— Je me demande si Sandee Yoon a un pouvoir.

— Sans doute. Mais si Chase n'arrive pas à la retrouver, nous ne le saurons jamais.

Allison s'est dirigée vers l'escalier, en regardant par-dessus son épaule et en posant un doigt sur ses lèvres.

— Allons-y. En faisant gaffe, on devrait pouvoir fouiller les pièces à l'insu de Geneva.

J'ai hoché la tête en descendant précautionneusement l'escalier. L'odeur de térébenthine s'est intensifiée, mais cela ne me dérangeait plus.

— Attention : Geneva !

J'ai agrippé l'épaule d'Allison et lui ai désigné du doigt le long couloir menant à la pièce principale.

— Je la vois, a chuchoté Allison d'une voix empreinte de frayeur. Elle porte une mallette.

— Suivons-la.

J'ai pris les devants.

Allison et moi avons traversé la pièce principale à pas furtifs en rasant le mur, puis avons jeté un coup d'œil dans le couloir juste à temps pour voir Geneva disparaître par une porte latérale.

— Viens, ai-je articulé silencieusement.

Mon cœur battait la chamade, mais une sorte de force intérieure me poussait en avant.

Elle a hoché la tête.

— Je te suis.

Nous avons descendu sans bruit le couloir. Mais nous avons dû nous arrêter en atteignant la pièce située au fond. Une lourde porte en métal en bloquait l'accès.

Je savais qu'Allison aurait pu l'enfoncer sans effort. Mais était-ce prudent ? Nous n'avions pas la moindre idée des dangers qui nous guettaient à l'intérieur. Et si Mitch s'y trouvait également ? Et s'il avait un revolver ? Nous lancer aveuglément présentait des risques, à moins que…

La gorge serrée, j'ai tendu mes lunettes à Allison.

— Tiens ça.

— Eric. Non! s'est-elle écriée doucement. Tu as failli t'évanouir la dernière fois. Sortons d'ici et allons chercher de l'aide.

Mais j'étais déjà en train de faire le point sur la porte. J'ai éprouvé un léger vertige, mais cela n'a pas duré. Le métal gris s'est estompé, puis j'ai distingué l'intérieur de la pièce — j'ai vu Geneva, debout près d'une table couverte de cartons, de contenants, d'éprouvettes, de seringues, qui tendait la main vers un scalpel.

Mon cœur battait si fort que j'étais convaincu que Geneva pouvait l'entendre. Mais elle ne s'est pas tournée vers la porte. Toute son attention était dirigée vers un coin éloigné de la pièce, vers une table drapée d'un drap blanc. Non, il n'y avait pas qu'un drap blanc. Il y avait QUELQU'UN sous le drap.

MA SŒUR.

Je me suis couvert la bouche de la main pour retenir un hoquet. Toutes les cellules de mon corps lançaient un cri d'alarme.

Allison m'a agrippé le bras et m'a tiré en arrière.

— Qu'y a-t-il, Eric? Que vois-tu?

— Kristyn, ai-je répondu d'une voix rauque.

Si j'avais eu la force d'Allison, rien n'aurait pu m'empêcher d'arracher la porte de ses gonds.

Mais je suis resté saisi, indécis, transi de peur, à regarder mon pire cauchemar se réaliser.

Geneva remuait les lèvres, elle s'adressait à Kristyn ou se parlait à elle-même. Je n'entendais pas. Mais je voyais que Kristyn ne répondait pas. Son visage était pâle et inerte, ses paupières closes et l'une de ses mains pendait, sans vie, sur le côté de la table.

Non… elle ne pouvait pas… elle ne pouvait pas être…

Puis, j'ai vu sa poitrine se soulever légèrement sous le drap blanc et j'ai poussé un soupir de soulagement. Vivante ! Dieu merci !

Mais quelles étaient ces cicatrices sur son bras ? Et pourquoi avait-elle un pansement au cou ? Qu'avait fait Geneva à ma sœur ?

— Eric, chuchotait Allison. Tu veux que j'enfonce la porte ? Dis-moi ce qu'on doit faire !

J'ai secoué la tête, voyant avec horreur Geneva s'approcher de Kristyn armée du scalpel à la lame effilée. Je devais agir — VITE !

Lorsque je me suis tourné vers Allison, je n'ai pas réussi à faire le point sur elle. Mon regard a plutôt traversé les murs jusqu'à la pièce principale de la bâtisse dans laquelle se trouvait une personne que j'ai reconnue avec stupéfaction.

Chase! Il était ici, à quelques pièces de distance. Mais il n'était pas seul. La porte s'était ouverte dans son dos, et un homme mince et roux se glissait silencieusement à l'intérieur. Mitch! Et il tenait un lourd tuyau. Et voici qu'il soulevait le tuyau et s'avançait d'un air menaçant vers Chase...

J'ai pivoté et j'ai vu Geneva s'incliner sur ma sœur, étreignant le scalpel d'une main ferme...

Chase!

Kristyn!

Comment allais-je réussir à les sauver tous les deux?

CHAPITRE 34

— Qu'est-ce qu'il y a, Eric ? demandait Allison. Que vois-tu ?

J'ai secoué la tête, me tournant pour observer Mitch qui n'était plus qu'à quelques pas de Chase. Puis, j'ai remarqué autre chose. Chase inclinait la tête, comme il le faisait lorsqu'il avait recours à son ouïe exceptionnelle. Cela signifiait-il qu'il NOUS écoutait ?

— Chase ! ai-je chuchoté. J'espère que tu nous entends, car tu as de SÉRIEUX ennuis. Mitch est derrière toi ! BAISSE LA TÊTE !

— Mitch ? Il est derrière Chase ? a hoqueté Allison.

J'ai vu Chase se tendre, et à l'instant même où Mitch brandissait le tuyau, Chase a pivoté, saisi l'arme et l'a retournée contre Mitch.

J'ai vite remis mes lunettes.

— Enfonce la porte, Allison ! Kristyn est en danger !

Allison n'a pas hésité. Elle a exercé une forte poussée sur la porte qui s'est inclinée sur le sol comme un vulgaire fétu de paille. Puis, elle a tourné les talons et s'est élancée au secours de Chase.

Je me suis retrouvé devant Geneva — dont le scalpel effleurait le bras de ma sœur. La lame effilée a glissé, du sang a perlé…

— NOOOOON ! ai-je rugi, mû par une fureur si puissante que c'est à peine si j'ai eu conscience de foncer en avant et de frapper du pied la main tendue de Geneva, l'obligeant à lâcher le scalpel qui s'est élevé dans les airs avant de retomber sur le sol.

Geneva a poussé un cri de frayeur et a reculé d'un pas.

— Qui… qu'est-ce… a-t-elle craché.

— Éloignez-vous de ma sœur ! ai-je hurlé, ivre de vengeance.

Je ne réfléchissais plus, j'avançais sur Geneva, animé par le désir de la voir souffrir…

— Eric ? a interrogé faiblement une voix. C'est… c'est toi ?

Je me suis arrêté sur-le-champ et me suis tourné vers Kristyn qui clignait des paupières.

Du sang suintait de l'incision sur son bras et des larmes ruisselaient sur ses joues.

— Kristyn ! me suis-je écrié en me précipitant vers elle, sans penser à Geneva qui en a profité pour prendre le large. Ça va ?

— Eric ?

Elle a marmonné et secoué ses cheveux noirs emmêlés.

—Je… j'ai mal.

— Oh, Kristyn. Je suis terriblement désolé.

M'emparant de mouchoirs en papier et d'un bandage, j'ai pansé sa blessure. Puis, je l'ai serrée contre moi, terriblement soulagé de la retrouver saine et sauve.

Je me sentais rongé par la culpabilité, particulièrement à la vue des traces de seringue et du bandage sur l'incision. Qu'avait-elle enduré ? Je n'arrivais même pas à l'imaginer… et je craignais de le faire. Tout ceci était ma faute.

Un lourd bruit de pas s'est fait entendre, puis Chase est apparu sur le seuil de la porte. Varina se tenait à côté de lui. Ils souriaient.

— Allison est en train de ligoter Mitch, a dit Chase en épongeant une grosse goutte de peinture bleue sur son visage. Ce salaud ne nous causera plus d'ennuis.

— Qu'as-tu fait ?

Je tenais fermement la petite main de Kristyn.

— Je l'ai assommé, mais c'est Varina qui, arrivant en trombe, l'a terrassé avec un contenant de peinture bleue.

— Qui aurait imaginé que de la peinture pouvait être aussi dangereuse ? a fait Varina avec un grand sourire empreint de fierté. Je suis contente que vous soyez sains et saufs.

J'ai inspecté les alentours, prenant soudain conscience de l'absence d'une certaine personne.

— Et Geneva ? Où est-elle ?

Chase a haussé les épaules.

— Je ne l'ai pas vue.

Varina a montré du doigt une porte arrière entrouverte.

— Elle a dû s'enfuir par là.

— Merde ! me suis-je écrié. Elle s'est échappée.

— Mais nous avons au moins attrapé Mitch.

Chase m'a tapoté le dos.

— Et il semblerait que nous ayons retrouvé ta sœur.

— Eric m'a sauvé la vie, a déclaré Kristyn doucement, en maintenant le mouchoir en papier sur son bras blessé et en me souriant faiblement.

Avec une immense fierté, j'ai eu le sentiment d'avoir enfin accompli quelque chose de bien. Mais j'ai secoué la tête.

— On m'a aidé : Allison, Varina et Chase. Nous avons agi ensemble.

J'ai entendu le hululement des sirènes à l'extérieur.

— Il est plus que temps que les policiers arrivent, a dit Varina. Je les ai appelés depuis mon portable.

Kristyn m'a tiré la main.

— Eric… je veux… rentrer… chez nous.

— Bientôt, Kristyn, lui ai-je promis. Nous allons tous deux rentrer à la maison.

Quelques instants plus tard, les policiers sont arrivés, suivis par les journalistes et les ambulanciers. Je suis resté avec Kristyn pendant qu'on la transportait dans l'ambulance, lui caressant les cheveux et lui pressant la main pour la rassurer.

Pendant que les ambulanciers s'occupaient de Kristyn, j'ai entendu Varina nous appeler, Chase, Allison et moi. J'ai pivoté et j'ai vu Varina debout, près de la camionnette rouge de Chase. La portière était ouverte et Varina pointait l'intérieur du doigt.

Chase avait entendu l'appel de Varina et il se hâtait vers elle. Je suis allé les retrouver.

— Qu'y a-t-il? ai-je demandé à Varina.

— Regardez ce que j'ai trouvé sur le siège, dans la voiture!

Varina a tendu une feuille de papier à Chase.

— Je pense que c'est pour toi.

À la lecture du message, l'expression de Chase s'est assombrie. Soudain, il a serré le poing et s'en est frappé la paume de l'autre main.

— Merde! J'ai manqué mon coup!

— Quoi? ai-je fait en haussant le sourcil.

— Comment ai-je pu la laisser sans surveillance?

— Chase, que se passe-t-il? ai-je voulu savoir. Qui a écrit ce mot?

— Lis-le, a dit Chase, dont la fureur contenue bouillonnait sous ses mots.

J'ai saisi le papier et j'ai lu :

Chase,

Merci de m'avoir sortie du pétrin. Mais tu m'avais juré que je pouvais compter sur toi. Tu m'as menti. Et je ne traîne pas avec les menteurs.

Ne pars pas à ma recherche. Je suis déjà avec quelqu'un d'autre — une

*personne qui souhaite ne plus jamais te
revoir.*

*Devine ? Je ne m'appelle pas Serena.
Na ! Rira bien qui rira le dernier.*

Salut… Sandee Yoon

— SANDEE YOON ! me suis-je exclamé en
rendant le mot à Chase. Tu l'as retrouvée ?
Pourquoi ne nous l'as-tu pas dit ?

— Je m'en doutais, mais je ne voulais pas
qu'elle le sache. Je craignais qu'elle détale si je
la confrontais.

Chase a secoué la tête et a juré dans sa
barbe. Puis, il a froissé, roulé le mot en boule,
a écrasé celle-ci entre ses doigts, puis l'a jetée
au loin.

CHAPITRE 35

C'est un drôle de truc, le temps. Si vous êtes assis dans une salle de classe et regardez les aiguilles de l'horloge, les secondes s'égrènent comme au ralenti. Mais lorsque votre vie s'emballe, vous projette de tous bords tous côtés, le temps file à toute vitesse et perd tout sens.

Il y avait trois semaines que Kristyn et moi étions rentrés à la maison. Vingt et un jours, y compris celui doux-amer de Noël, celui pas très joyeux du Nouvel An, ensevelis sous plusieurs couches d'une intense culpabilité.

En apparence, tout était parfait. Mitch, accusé d'enlèvement et de meurtre, était en prison pour de bon. Il ne ferait plus de mal à personne. Geneva, en bon escroc, s'était forgé un alibi qui avait trompé la police, mais pas nous, les clones. Elle avait ouvert sa galerie d'art et poursuivait sa vie.

Kristyn avait beau être rentrée saine et sauve à la maison, elle n'était plus comme avant son enlèvement. En surface, ses blessures s'étaient cicatrisées, mais elles s'étaient enfoncées en dedans d'elle et la hantaient. Elle faisait des cauchemars, avait peur de sortir de la maison et voyait un thérapeute.

Je me faisais des reproches.

J'ai donc commencé à élaborer un plan en secret.

Allison et moi avons échangé des courriels ; devant mon insistance, elle utilisait désormais son portable. J'ai eu de nombreuses conversations téléphoniques à voix basse avec Varina, de même qu'avec son oncle.

Puis, est venu le jour où j'ai dévoilé mon plan à mes parents.

— Maman, papa, j'ai un truc important à vous dire, leur ai-je déclaré avec assurance en prenant mon courage à deux mains.

J'ai commencé par leur rappeler qu'on avait enlevé Kristyn parce qu'on l'avait prise pour un clone. Mais c'était moi qui étais un clone, pas Kristyn. De ce fait, c'était MA faute si ma sœur avait tant souffert. Je ne pouvais en rien modifier mon étrange passé, mais je pouvais néanmoins prendre mon avenir en mains.

Je leur ai donc révélé mes intentions.

Évidemment, ils se sont opposés. Mais j'ai tenu bon, et au bout de quelques jours d'intenses discussions, mes parents ont compris que, pour le bien de toute la famille, ils devaient me laisser partir.

J'ai donc fait mes bagages en vue d'entreprendre une nouvelle vie en Californie.

CHAPITRE 36

Voilà, j'avais survécu à ma première journée en tant que nouveau au lycée de Varina, le Seymore High. Je m'étais réjoui de faire la connaissance des amis de Varina, particulièrement de son extravagante copine, Starr — une fille vraiment GÉNIALE. Bien entendu, ma famille me manquait, mais ma vie était incontestablement palpitante.

L'oncle de Varina, Jim Fergus, avait officiellement fondé une pension et un collège privé pour « étudiants surdoués ». Pour le moment, nous n'étions que trois : Varina, Allison et moi. Chase avait encore mis les voiles… Il s'était de nouveau lancé sur les traces de Sandee. Depuis la découverte de son mot, son humeur s'était encore assombrie. J'espérais qu'il la retrouverait bientôt.

Après les classes, Varina, Allison et moi rentrions à la maison en discutant de sujets normaux comme de nos profs et de nos devoirs. Nous étions en passe de devenir une famille ou, comme aimait encore à le dire Allison, des « clones cousins ». Bientôt, nous irions habiter dans une nouvelle et grande demeure. L'oncle de Varina prévoyait emménager dans une maison plus vaste, protégée par un dispositif de sécurité à la fine pointe, ce qui nous procurerait à tous une indéniable tranquillité d'esprit.

Alors que Varina, Allison et moi retournions à la maison, j'ai senti qu'il se préparait quelque chose en voyant Varina parler à l'oreille d'Allison. Allison lui a répondu en chuchotant et en me regardant du coin de l'œil. À la suite de quoi, elles ont pouffé.

— Que se passe-t-il ? ai-je demandé avec méfiance.

— Tu le sauras bientôt.

Fronçant les sourcils, je les ai suivies. Arrivé à la porte d'entrée, je l'ai ouverte prudemment. Surpris, j'ai entendu un son plaintif. Puis, soudain, un tourbillon de fourrure blonde s'est jeté sur moi avec un jappement joyeux, m'a renversé et m'a écrasé la poitrine. Une langue rouge baveuse a entrepris de me lécher le visage.

— RENEGADE ! me suis-je écrié, éperdu de bonheur.

Je n'en revenais pas !

Allison et Varina ont crié :

— Surprise !

Je n'en finissais plus d'étreindre mon chien, plus heureux que je ne l'avais été depuis des semaines.

— Merci ! C'est la plus MERVEILLEUSE des surprises !

— Je me doutais bien que cela te ferait plaisir, a dit Varina.

— C'était MON idée, a fièrement ajouté Allison.

L'oncle Jim de Varina s'est avancé dans le salon en prenant lourdement appui sur sa canne. Il a souri dans sa barbe grisonnante.

— Ce sera bien d'avoir un chien dans les parages, a-t-il fait. C'est un chien formidable, Eric.

— Vous aussi êtes formidables.

J'ai serré mon chien, sentant renouer un lien avec mon ancienne vie. Puis, j'ai regardé autour.

— Hé, il me faut une balle. Renegade adore l'attraper.

— Il doit bien y avoir une balle de tennis quelque part, a dit oncle Jim.

— Je crois en avoir vu une dans le placard de l'entrée, a déclaré Allison.

J'ai suivi Allison dans le hall, puis me suis penché pour gratter Renagade sur le crâne en attendant. Je l'ai entendue marmonner :

— La voici… Hum… C'est quoi, ça ?

Elle m'a lancé la balle, puis est sortie du placard, un vieux magazine à la main. Son visage affichait une expression étrange.

— Ça va, Allison ? ai-je demandé en jetant la balle un peu plus loin dans le hall afin que Renegade s'élance à sa suite.

— Je ne sais pas

Allison fixait le magazine. Elle a ouvert la bouche et a poussé un petit cri d'excitation.

— Eric ! REGARDE !

— Pourquoi ? C'est juste un vieux magazine.

— Non !

Elle a secoué la tête.

— C'est bien plus que ça ! Tu ne vois pas ?

Tout ce que je voyais, c'était un magazine de mode, vieux d'environ une vingtaine d'années, dont la couverture montrait un mannequin blond et mince vêtu d'un minuscule maillot de bain. Puis, j'ai remarqué un truc.

— Waouh ! ai-je fait en sifflant doucement. Allison, on dirait que c'est TOI.

— Elle me ressemble drôlement. Ses longs cheveux blonds, ses yeux bruns, sa grande bouche et même les taches de rousseur qui lui constellent les cuisses sont identiques aux miens.

— Quelle étrange coïncidence.

— Non ! Ce n'est pas une coïncidence. C'est plus que cela. Elle ne fait pas QUE me ressembler. Elle EST moi. Ou peut-être que je suis elle.

Allison a écarquillé les yeux avec étonnement.

— Je suis son clone.

L'AUTEURE

Linda Joy Singleton vit sur un domaine de trois acres situé près de Sacramento, en Californie, avec son mari, dont le soutien est indéfectible, et leurs deux formidables adolescents, Melissa et Andy. La famille possède une amusante ménagerie réunissant des chevaux, des cochons, des chats, des chiens et une chèvre. L'un des chiens qu'ils ont acquis récemment s'appelle Renegade.

Linda Joy Singleton est l'auteure de plus d'une vingtaine de romans pour adolescents et de plusieurs courts récits « d'épouvante ». On trouvera des liens vers ces récits et d'autres renseignements sur l'auteure sur son site Internet : http://www.geocities.com/Athens/Acropolis/4815/

Le troisième tome de la série palpitante

LA VÉRITÉ

Régénération

En librairie sous peu !

éditions

www.ada-inc.com
info@ada-inc.com

 www.facebook.com/EditionsAdA

 www.twitter.com/EditionsAdA